Camus, Albert, 1913–1960.
Le malentendu. Edited by Jacques Hardré and George B. Daniel. New York, Macmillan [1964]

viii, 116 p. 21 cm. (Macmillan modern French literature series)

Bibliography: p. 107. "Suggestions for reading about Camus": p. 108.

I. Title.

Albert Camus

LE MALENTENDU

EDITED BY

Jacques Hardré

AND

George B. Daniel

THE MACMILLAN COMPANY

Library of Congress catalog card number: 64-13353

THE MACMILLAN COMPANY
COLLIER-MACMILLAN CANADA, LTD.,
TORONTO, ONTARIO

Printed in the United States of America

printing number
8 9 10

FOREWORD

For the French, the year 1943 was one of the darkest of the dark years of World War II. It seemed to the men engaged in underground warfare, Camus among them, as though the war would be interminable. At that time Camus, who had left Oran, in Algeria, at the end of 1942, was living in a small village, Le Panelier, not far from the mining town of St. Etienne, working among the miners in the underground network *Combat.* The atmosphere of the bleak mining town, its darkness and misery, were all alien to him: "*The Misunderstanding* was written in 1943 in occupied France. I was then living quite reluctantly in the mountains of central France. That historical and geographical situation would be enough to explain the sort of claustrophobia from which I suffered then and which is reflected in the play."* The climate, hardship, and strain of clandestine warfare affected his health. In August 1943, at the invitation of Father Bruckberger, a co-worker in the Resistance movement, he went south to rest at the Dominican convent of St. Maximin-la-Sainte-Baume. It was there he finished a first complete draft of *Le Malentendu.*

*Albert Camus, *Caligula and Three Other Plays,* translated from the French by Stuart Gilbert (New York, Alfred A. Knopf, 1960), "Author's Preface," p. vii.

As Camus' *Carnets* (*Notebooks*) attest, he had long had the theme of the play in mind. In his *Carnets,* he had jotted down the scenario of the man who, after a long journey, comes back home, masked. Jan, in *Le Malentendu,* is, in a sense, that same man. We know, too, that by 1940 Camus had been thinking of a story well known in the folklore of many lands, the story of the "death inn." With variations, the story follows the same pattern everywhere: The owners of an isolated inn kill rich travelers for their money and belongings and do away with their corpses. During his stay in prison, Meursault, the hero of Camus' first novel, *L'Etranger,* reads a version of the story over and over again. But, as a comparison shows, Camus gives it a rather different twist in the play.

From the very beginning, as Camus' *Carnets* reveal, he had chosen Central Europe as the setting of the play, in fact Budejovice, in the south of Czechoslovakia. In 1936, at the age of twenty-two, Camus had taken his first trip to Central Europe and had been depressed by what struck him as the greyness and sadness of a city like Prague. In his very first published work, *L'Envers et l'endroit,* the essay "La mort dans l'âme" describes his reaction to Prague. The "masked" man, the returning traveler, the "death inn," the location in Central Europe, are all scattered elements which were to go into the making of Camus' play. *Le Malentendu* itself took shape slowly. For a while Camus designated it as *Budejovice,* and at one time thought of making it a comedy. Certainly, of all Camus' works, this is the one that most nearly reflects the weary, near-despair of the war years when all Europe seemed to have become a death inn.

Writing to a friend in October 1943,† Camus explained his final intentions when he wrote the play: "Quant au

† Letter to Jean Paulhan, October 16, 1943. [This unpublished letter was put at my disposal by Camus, with permission to quote from it—G. B.]

Malentendu . . . j'ai voulu faire une tragédie moderne, en veston, sans m'aider d'un sujet antique . . . je crois . . . qu'il n'y a pas de tragédie moderne . . . Et pourtant il y a un tragique moderne." In his first play, *Caligula* (which was produced after *Le Malentendu*), Camus had taken his characters from Roman history. He was well aware of the difficulty of his new undertaking: "La difficulté essentielle," he continues, "est naturellement dans le ton. Comment faire prendre sans ridicule et sans malaise le ton tragique à des personnages habillés comme vous et moi qui ne bénéficient pas de l'éloignement du héros historique."

Le Malentendu is, in Camus' words, "an attempt to create a modern tragedy." Camus was not satisfied that he had achieved his purpose, and he reworked the play considerably between 1944, when it was first published, and 1958, the date of the revised edition which we have chosen for our text.

In the "Author's Preface" of the English translation of his plays (see footnote, p. iii) Camus himself briefly gave his own point of view concerning the play:

> A son who expects to be recognized without having to declare his name and who is killed by his mother and sister as the result of the misunderstanding—this is the subject of the play. Doubtless it is a very dismal image of human fate. But it can be reconciled with a relative optimism as to man. For, after all, it amounts to saying that everything would have been different if the son had said: "It is I; here is my name." It amounts to saying that in an unjust or indifferent world man can save himself, and save others, by practicing the most basic sincerity and pronouncing the most appropriate word.

In Greek tragedy, with which Camus was familiar, the revelation of identity is frequently at the heart of the tragic action. Like Jan's, Orestes' identity is hidden as he approaches his dead father's palace. But Orestes comes on a mission of vengeance, not as savior. In Camus' play, recognition, the key to a salvation so easily available, comes too late, and therein lies the particular form of tragic irony that the play illustrates.

Because of the simplicity of its language and its brevity, *Le Malentendu* is eminently suited for use in intermediate French classes. The questions it raises, however, are quite complex and cover a wide range—from the nature of tragedy and Camus' attempt to create a "modern" form of tragedy, to the interpretation of the play itself, the nature of the conflict, the interplay of responsibility and chance in the final outcome. The introductory essay, notes, and vocabulary provide a background of information which, we hope, will help and interest students of Camus' works, whether in undergraduate or graduate classes in French or European literature.

GERMAINE BRÉE

BIOGRAPHICAL SKETCH

Albert Camus

1913 - 1960

1913	Né (7 novembre) à Mondovi en Algérie.
1914	Mort de son père à la bataille de la Marne; sa mère s'installe à Alger.
1918–1923	A l'école communale de la rue Aumerat.
1923–1930	Elève boursier au lycée d'Alger.
1930–1936	Etudiant boursier; poursuit ses études de philosophie à l'Université d'Alger.
1930	Premières atteintes de la tuberculose.
1934	Premier mariage qui ne dure qu'un peu plus d'un an.
1935–1939	Avec quelques amis, fonde le *Théâtre du travail* qui devient plus tard le *Théâtre de l'équipe.*
1937	Pour des raisons de santé, il ne peut se présenter à l'agrégation de philosophie.

1938	Journaliste à *Alger-Républicain.*
1940	S'installe à Paris; entre à *Paris-Soir* comme secrétaire de rédaction. Epouse Francine Faure, une Oranaise.
1942–1944	Participe à la Résistance.
1944–1947	Direction du journal *Combat.*
1946	Tournée de conférences aux Etats-Unis.
1952	Rupture avec Jean-Paul Sartre.
1957	Le Prix Nobel de littérature lui est décerné.
1960	Tué (4 janvier) sur le coup dans un accident d'automobile à Villeblevin; enterré à Lourmarin en Provence.

TABLE OF CONTENTS

Introduction

Le Malentendu, a stark and disquieting play, was presented to the Parisian public at the *Théâtre des Mathurins* on May 19, 1944. It was the author's second attempt to project on the stage the incomprehensible predicament of human existence, the tensions and conflicts inherent in a sense of the "absurd." The first was *Caligula,* which, though presented later (September 25, 1945), was written in its first version in 1938. Few of the critics who attended the opening night of *Le Malentendu* knew that Camus had long been interested in the theater, for his fame, at that time, rested principally on his novel, *L'Etranger* (1942), and on his essay, *Le Mythe de Sisyphe* (1942). It was only later, when the facts of his life became known, that people realized that the theater had been one of his early passions, a passion to which he was to be faithful throughout his short but brilliant career.

Albert Camus was born on November 7, 1913, in the small Algerian town of Mondovi. His mother was of Spanish origin; his father, an agricultural worker, descended from an Alsatian family that had sought refuge in Algeria after the Franco-German war of 1870–1871. A year after Albert's birth, the father was killed at the first battle of the Marne. As a result, Albert, his older brother, his uncle, his mother, and his maternal grandmother were forced to move to a poor and overcrowded quarter of Algiers. In *L'Envers et l'endroit* (1937), Camus has described their shabby apartment and the life they led in it. His mother, who had never learned to read or write, worked as a maid and thus helped to keep the family together. From 1918 to 1923 Camus attended primary school and, thanks to the interest of one of his teachers, obtained a scholarship at the *lycée* of Algiers. As a *lycéen,* Camus became interested in some of the French writers who were then considered as guides by the young men of his generation: Gide, Montherlant, and Malraux. Each one of these was to exercise a strong influence on the development of Camus' art and thought. Apart from his interest in literature, the young Camus took an active role in sports, particularly in swimming and soccer. This activity was cut short, however, when it was found that he had developed tuberculosis in 1930. Sickness and the threat of death marked a turning point in the life of the seventeen-year-old youth. He moved out of the family apartment and started to lead a more independent life. While pursuing his graduate studies at the University of Algiers, he supported himself by working at various jobs—selling spare parts for cars, serving as a clerk in the local *préfecture* or in a shipping broker's office, etc. Jean Grenier, his philosophy teacher, introduced him to the great philosophers and tragic poets of Greek literature and encouraged him to work on a dissertation dealing with the influence of Plotinus on Saint Augustine; those two great thinkers, being both North Africans, interested him most particularly. The dissertation was completed in 1936 and Camus received his *Diplôme d'études supérieures.* During the next year, a renewed attack of tuberculosis prevented him from continuing his studies for the *agrégation;* he then turned to journalism.

In 1934 Camus had joined the Communist Party,

having been attracted by the mythical image of a peaceful and generous Russia, as were so many of his generation. He was soon disillusioned, however, and left the Party, some say in 1935, others in 1937. During the time he was a Party member, he was assigned to propaganda work among the underprivileged Arabs. His close contacts with these fellow countrymen of his, as he always considered them, made him more aware than ever before of the need for social and political reforms in Algeria. Having himself come from an underprivileged class, he was in deep sympathy with the longing for dignity, self-respect, and justice of those who are poor.

Another activity encouraged by the Communist Party was that of bringing the theater to the people. Camus was the leader of a group of young men and women—artists, sculptors, architects, workers, and students—who, early in 1935, founded the *Théâtre du travail* with the avowed purpose of demonstrating that "art can sometimes leave its ivory tower." Adaptations of works by Malraux and Gorki, plays by Vildrac, Ben Jonson, Aeschylus, and Pushkin, as well as Jacques Copeau's adaptation of Dostoevsky's *Les Frères Karamazov,* were staged by the youthful troupe. Camus took a most active part in these productions as director, stage manager, and actor. A collectively written play, *Révolte dans les Asturies,* dealing with a recent revolt in the Asturian mines, was banned by the mayor of Algiers because of its "subversive character." After Camus' break with the Communist Party, the *Théâtre du travail* became the *Théâtre de l'équipe.* Its manifesto, written by Camus and published in the review *Rivages,* proclaimed that this young theater would concentrate on plays of those periods in which "love of life mingled with the despair of living," i.e., of ancient Greece, Elizabethan England, the Spain of the Golden Age, contemporary France, and the United States.

We know from Camus' *Carnets* that the art of the stage interested him greatly in those days. This was only natural, since the French stage was then particularly brilliant, as a result of the reforms initiated by Jacques Copeau and continued by Jouvet, Dullin, Baty and Pitoëff, and because of the dramatic talents of such authors as Giraudoux, Romains, Vildrac, Pagnol, and Salacrou. Antonin Artaud, a former surrealist, in his *Manifeste du théâtre de la cruauté* (1932) had written in favor of a theater which, influenced by the Oriental drama, might serve as a sort of exorcism for those passions which, when too long repressed, finally burst forth in the form of devastating wars. Under the influence of this theory, Camus wrote his play *Caligula,* whose protagonist, the mad Roman emperor, had been so vividly described by Suetonius.

When war was declared in 1939, Camus volunteered for service but was rejected because of his health. He then moved to Paris and served on the staff of the newspaper *Paris-Soir* until the fall of France (June 1940). After a short stay in Clermont-Ferrand and then in Lyons, he moved back to Algeria. He returned to France in 1942 to take an active part in the *Combat* resistance network, which he joined the following year.

After the liberation of Paris, the newspaper *Combat,* edited by members of the resistance network of the same name, became one of the leading newspapers of France. Camus served intermittently as its editor-in-chief from 1944 to 1947. Within the space of a few years he had become one of the intellectual leaders of his country, and his stature was greatly enhanced by the moral fervor with which he continued to write about man's desperate need for justice, for the necessity of introducing ethics into politics, and for the respect due to the inviolability of the individual.

In 1947, *La Peste,* a novel on which Camus had been

working for the past three years, was published and received universal acclaim. This was followed, in 1951, by an historical and philosophical essay, *L'Homme révolté* and, in 1956, by the novel *La Chute,* an ambiguous and ironical work. In the meantime, he had again turned to his first love, the theater, and had produced two original plays—*L'Etat de siège* (1948) and *Les Justes* (1950)—and several adaptations: *La Dévotion à la croix* (1953), from Calderon; *Les Esprits* (1953), from Pierre Larivey; *Un Cas intéressant* (1955), from Dino Buzzati; and *Requiem pour une nonne* (1956), from William Faulkner. The following year, Camus produced *Le Chevalier d'Olmedo,* adapted from a play by Lope de Vega and, in 1959, *Les Possédés,* adapted from a novel by Dostoevsky. Among his plans for the future was a play on the Don Juan theme, which had been in his mind for many years. In 1959, when André Malraux as Minister of Cultural Affairs decided to reorganize the government-subsidized theaters in France, he offered to Camus the directorship of one of these theaters.

Camus' stature as spokesman for the search of values and ideals of his generation was given international recognition by the Swedish Academy, in 1957, when it awarded him the Nobel prize for literature. He was then only forty-four years old and thus one of the youngest writers ever to have received this celebrated and coveted award.

Albert Camus was working on another novel, *Le Premier Homme,* when he was killed in an automobile accident on January 4, 1960. His death was universally mourned, for it was felt, especially by the young men of his generation, that the worthiest of their spokesmen had disappeared just when his voice was most needed.

Shortly before his death Camus had stated in an interview that his work, up to then, could be classified into three large groups. The first, comprising *L'Etranger, Le Mythe de Sisyphe, Caligula,* and *Le Malentendu,* developed the same idea in three different genres (novel, essay, theater), namely, a denunciation of the absurdity of existence; the second, represented by *La Peste, L'Homme révolté,* and *Les Justes,* portrayed the author's reaction against the absurd; the third group, consisting of *La Chute* and *L'Exil et le royaume,* Camus considered as forming an intermediary stage between the second group and the one that was to follow, which, according to the author, would have been the most important group.

From these remarks it can be seen that, at the outset of his career, Camus was greatly preoccupied with the absurdity of man's condition. It is this concern that caused so many critics to classify him among the existentialists, a qualification which Camus himself stoutly denied. In fact, the differences between him and Jean-Paul Sartre, the chief exponent of French atheistic existentialism, led to a widely publicized polemic in *Les Temps modernes* (1952). What, then, was Camus' conception of "absurdity"?

In one of his early short stories, *Noces,* Camus wrote: "In the Algerian summer, I am learning that there is only one thing more tragic than suffering, and that is the life of a happy man." That a man, living—as Camus did when he was young—under the Mediterranean sky, warmed by the glow of the African sun, in love with existence and delighting in the satisfaction of his senses, could, at the same time, be a man condemned to die, that is the tragedy of which Camus spoke. It is not the world in itself that is absurd, thought Camus, nor is it man, but the absurdity lies in the contrast between man's aspirations, desires, and hopes and the world's impenetrable and unexplainable presence; it lies in man's inevitable realization that he will die without having been able to grasp the meaning of his being in the world. The human mind demands a rational explanation, but the universe is not to be explained thus. Whereas the religious man may be satisfied with a supernatural explanation, and others who are not religious, as the existentialists for example, may take refuge in proclaiming that both man and the world are absurd, Camus could accept neither of these evasions, as he called them. For him, and therein lies his originality, man must accept the absurdity of his situation and, at the same time, find happiness by living life to the fullest. At the beginning of *Le Mythe de Sisyphe,* Camus placed a quotation from the Greek lyric poet Pindar: "O my soul, strive not for immortal life, but exhaust the fullness of the possible."

In his later works, Camus passed beyond this denunciation of the absurd to an expression of the values which he believed gave meaning to man's existence—freedom of thought, justice, and tolerance. *L'Homme révolté* reflects the change that Camus underwent during his experiences in the Resistance movement. The personal and extreme revolt he described in his early works gave way to a renewed sense of the human and to a plea for classical moderation. What further development Camus' thinking might have undergone shall never be known, since he died before finishing the first part of what he considered the most important cycle of his work. History will therefore have to judge him simply on what, for most authors, would be the formative period.

In critical studies, the thought of Camus has often received more consideration than his art. Yet, it is as an artist that Camus will most likely survive. He was a classical writer who cultivated clarity of expression and restraint, and a craftsman who showed great respect for the well-constructed sentence and for *le mot juste.* But he was also a passionate being whose intense love of life engendered lyrical outbursts which, in his early works especially, have a fervent tone reminiscent of *Les Nourritures terrestres* of André Gide. The tone of Camus' works, rather than their philosophical content, quite possibly explains their world-wide appeal.

Le Malentendu is a symbolical play built around the theme of the returning son and based on a tragic event which Camus had introduced in *L'Etranger.* While Meursault, the protagonist of this *récit,* was in his cell, he had found underneath his mattress a newspaper clipping which related the deaths of a mother, her daughter, and her son in a Czechoslovakian inn. The son, who had left his native village when still young, and had made his fortune abroad, had returned without revealing his identity, and had put up at the inn run by his mother and sister. They, not recognizing him, had killed him in order to rob him. When his identity had finally, but too late, been revealed, the mother and daughter had killed themselves.

In an essay on Kafka, published in the 1943 edition of *Le Mythe de Sisyphe,* Camus described tragic emotion in the spectator as "cette révolte qui secoue l'homme et lui fait dire 'cela n'est pas possible,' " but with "déjà la certitude désespérée que 'cela' se peut." In *Le Malentendu,* the spectator is aware at the same time of the impossibility and the probability of the murder.

In the play, Jan, the returning son, who has found wealth and happiness in a distant and sunny land, wants to share his good fortune with his mother and sister. But, he refers to himself as the Prodigal Son and, like him, wants to be recognized and welcomed back into the family. His idealized conception of human relationships, which includes the inevitable recognition of a son by his mother, blinds him to the fundamental absurdity of life and makes him the unwitting agent of death.

Both the mother and Martha, the daughter, are seeking happiness, the latter especially. She is the real heroine of the play; she belongs to that breed of iconoclasts who are guided by an unconscious but irresistible urge to self-destruction. An idealist and a dreamer, her fatal flaw is the lack of moderation she reveals in the pursuit of happiness and freedom.

The irony of the situation, therefore, is that all three protagonists are striving towards the same goal but are at "cross purposes" (title for the British version of the play) as how to reach this goal.

Many interpretations have been given of the situation in which Jan and Martha find themselves. To some people, thinking of the Second World War, Jan represents the unrecognized clandestine fighters. Martha has been likened to Europe, dreaming of a better future and, for this, murdering her sons in one "last" war after another. In the same vein, others have seen in Jan's murder a reflection on the ideologies that Camus was to examine in *L'Homme révolté,* which, in order to attain a perfect society, unhesitatingly sacrifice human lives, also for the "last" time. Yet others see in Jan's tragedy a parallel to the story of Christ, but only in certain respects.

In a quite different vein, it has been pointed out that Jan, like Grand in *La Peste,* who labors in vain to complete the first sentence of his novel, dramatizes the never ceasing struggle of the artist to find the adequate words with which to conciliate the harsh realities he confronts and the inner compulsion he feels to reach and communicate with others.

It is perhaps Maria, Jan's wife, a seemingly extraneous character, who offers us the essential key. From the beginning of the play, she opposes Jan's whim and begs him to speak clearly and directly. Whereas Jan places his trust in "circumstances" or Providence, Maria realizes that human relationships cannot be left to either. Unfortunately, the tragic hero, as Camus once said, is the man who is "deaf." Thus, neither Jan nor Martha, nor even the mother, are able to "hear," although they almost do so at certain moments. At one such moment, when Martha is about to "hear" what Jan is trying to say, it is he, ironically, who, by the lyrical description of the El Dorado she longs for, galvanizes her into carrying out her plan to murder him.

As for the old manservant, who remains silent until the very end of the play, Camus wrote:

> . . . he does not necessarily symbolize fate. When the widow calls upon God at the end, he is the one who replies. But this is perhaps one more misunderstanding. If he answers "no" when she asks him to help, this is because, in fact, he has no intention of helping her and because, at a certain level of suffering and injustice, no one can do anything for anyone.
>
> Furthermore [continues Camus], I don't really feel that such explanations are very useful. I still am of the opinion that *The Misunderstanding* is a work of easy access if only one accepts the language and is willing to grant that the author has deeply committed himself in it. The theater is not a game—that is my conviction. [Author's Preface, *op. cit.*, p. viii.]

ACTE PREMIER

Midi. La salle commune de l'auberge. Elle est propre et claire. Tout y est net.

SCÈNE I

LA MÈRE

Il reviendra.

MARTHA

Il te l'a dit?

LA MÈRE

Oui. Quand tu es sortie.

MARTHA

Il reviendra seul?

LA MÈRE

Je ne sais pas.

MARTHA

Est-il riche?

LA MÈRE

Il ne s'est pas inquiété du prix.

MARTHA

S'il est riche, tant mieux. Mais il faut aussi qu'il soit 10
seul.

LA MÈRE
(*avec lassitude*)

Seul et riche, oui. Et alors nous devrons recommencer.

MARTHA

Nous recommencerons, en effet. Mais nous serons 15
payées de notre peine.

Un silence. Martha regarde sa mère.

Mère, vous êtes singulière. Je vous reconnais mal
depuis quelque temps. 20

LA MÈRE

Je suis fatiguée, ma fille, rien de plus. Je voudrais me reposer.

MARTHA

Je puis prendre sur moi ce qui vous reste encore à

faire dans la maison. Vous aurez ainsi toutes vos journées. 25

LA MÈRE

Ce n'est pas exactement de ce repos que je parle. Non, c'est un rêve de vieille femme. J'aspire seulement à la paix, à un peu d'abandon. (*Elle rit faiblement.*) Cela est stupide à dire, Martha, mais il y a des soirs où je me sentirais presque des goûts de religion.[1] 30

MARTHA

Vous n'êtes pas si vieille, ma mère, qu'il faille en venir là.[2] Vous avez mieux à faire.

LA MÈRE

Tu sais bien que je plaisante. Mais quoi! A la fin d'une vie, on peut bien se laisser aller. On ne peut pas toujours se raidir et se durcir comme tu le fais, Martha. 35
Ce n'est pas de ton âge non plus. Et je connais bien des filles, nées la même année que toi, qui ne songent qu'à des folies.

MARTHA

Leurs folies ne sont rien auprès des nôtres,[3] vous le savez. 40

LA MÈRE

Laissons cela.

[1] **où je me sentirais presque des goûts de religion** when I feel almost inclined toward religion.
[2] **qu'il faille en venir là** to be reduced to that.
[3] **auprès des nôtres** compared to ours.

MARTHA
(*lentement*)

On dirait qu'il est maintenant des mots qui vous brûlent la bouche.

LA MÈRE

Qu'est-ce que cela peut te faire, si je ne recule pas devant les actes? Mais qu'importe! Je voulais seulement dire que j'aimerais quelquefois te voir sourire. 45

MARTHA

Cela m'arrive, je vous le jure.

LA MÈRE

Je ne t'ai jamais vue ainsi.

MARTHA

C'est que je souris dans ma chambre, aux heures où je suis seule. 50

LA MÈRE
(*la regardant attentivement*)

Quel dur visage est le tien, Martha!

MARTHA
(*s'approchant et avec calme*)

Ne l'aimez-vous donc pas? 55

LA MÈRE

(*la regardant toujours, après un silence*)

Je crois que oui, pourtant.

MARTHA

(*avec agitation*)

Ah! mère! Quand nous aurons amassé beaucoup d'argent et que nous pourrons quitter ces terres sans horizon, quand nous laisserons derrière nous cette auberge et cette ville pluvieuse, et que nous oublierons ce pays d'ombre, le jour où nous serons enfin devant la mer dont j'ai tant rêvé, ce jour-là, vous me verrez sourire. Mais il faut beaucoup d'argent pour vivre libre devant la mer. C'est pour cela qu'il ne faut pas avoir peur des mots. C'est pour cela qu'il faut s'occuper de celui qui doit venir. S'il est suffisamment riche, ma liberté commencera peut-être avec lui. Vous a-t-il parlé longuement, mère?

LA MÈRE

Non. Deux phrases en tout.

MARTHA

De quel air vous a-t-il demandé sa chambre?

LA MÈRE

Je ne sais pas. Je vois mal et je l'ai mal regardé. Je sais, par expérience, qu'il vaut mieux ne pas les regarder. Il est plus facile de tuer ce qu'on ne connaît pas.[4] (*Un temps.*) Réjouis-toi, je n'ai pas peur des mots maintenant.

[4] **Il est plus facile de tuer ce qu'on ne connaît pas** *The tragic irony of the situation and the theme of recognition are announced from the very outset.*

MARTHA

C'est mieux ainsi. Je n'aime pas les allusions. Le crime est le crime, il faut savoir ce que l'on veut. Et il me semble que vous le saviez, tout à l'heure, puisque 80 vous y avez pensé, en répondant au voyageur.

LA MÈRE

Je n'y ai pas pensé. J'ai répondu par habitude.

MARTHA

L'habitude? Vous le savez, pourtant, les occasions ont été rares!

LA MÈRE

Sans doute. Mais l'habitude commence au second 85 crime. Au premier, rien ne commence, c'est quelque chose qui finit. Et puis, si les occasions ont été rares, elles se sont étendues sur beaucoup d'années, et l'habitude s'est fortifiée du souvenir. Oui, c'est bien l'habitude qui m'a poussée à répondre, qui m'a avertie de 90 ne pas regarder cet homme, et assurée qu'il avait le visage d'une victime.

MARTHA

Mère, il faudra le tuer.

LA MÈRE
(plus bas)

Sans doute, il faudra le tuer. 95

MARTHA

Vous dites cela d'une singulière façon.

LA MÈRE

Je suis lasse, en effet, et j'aimerais qu'au moins celui-là soit le dernier. Tuer est terriblement fatigant. Je me soucie peu de mourir devant la mer ou au centre de nos plaines, mais je voudrais bien qu'ensuite nous partions ensemble. 100

MARTHA

Nous partirons et ce sera une grande heure! Redressez-vous,[5] mère, il y a peu à faire. Vous savez bien qu'il ne s'agit même pas de tuer. Il boira son thé, il dormira, et tout vivant encore, nous le porterons à la rivière. On le retrouvera dans longtemps, collé contre un barrage, avec d'autres qui n'auront pas eu sa chance et qui se seront jetés dans l'eau, les yeux ouverts. Le jour où nous avons assisté au nettoyage du barrage, vous me le disiez, mère, ce sont les nôtres qui souffrent le moins, la vie est plus cruelle que nous. Redressez-vous, vous trouverez votre repos et nous fuirons enfin d'ici. 105 110

LA MÈRE

Oui, je vais me redresser. Quelquefois, en effet, je suis contente à l'idée que les nôtres n'ont jamais souffert. C'est à peine un crime, tout juste une intervention, un léger coup de pouce donné à des vies inconnues. Et il est vrai qu'apparemment la vie est plus cruelle que nous. C'est peut-être pour cela que j'ai du mal à me sentir coupable. 115

[5] **Redressez-vous** Pull yourself together.

Entre le vieux domestique. Il va s'asseoir derrière le comptoir, sans un mot. Il ne bougera pas jusqu'à la fin de la scène. 120

MARTHA

Dans quelle chambre le mettrons-nous? 125

LA MÈRE

N'importe laquelle, pourvu que ce soit au premier.

MARTHA

Oui, nous avons trop peiné, la dernière fois, dans les deux étages.[6] (*Elle s'assied pour la première fois.*) Mère, est-il vrai que, là-bas, le sable des plages fasse des brûlures aux pieds? 130

LA MÈRE

Je n'y suis pas allée, tu le sais. Mais on m'a dit que le soleil dévorait tout.

MARTHA

J'ai lu dans un livre qu'il mangeait jusqu'aux âmes et qu'il faisait des corps resplendissants, mais vidés par l'intérieur. 135

LA MÈRE

Est-ce cela, Martha, qui te fait rêver?

[6] **Nous avons . . . étages.** We had too hard a time of it, last time, getting down two flights of stairs.

MARTHA

Oui, j'en ai assez de porter toujours mon âme,[7] j'ai hâte de trouver ce pays où le soleil tue les questions. Ma demeure n'est pas ici.

LA MÈRE

Auparavant, hélas! nous avons beaucoup à faire. Si 140 tout va bien, j'irai, bien sûr, avec toi. Mais moi, je n'aurai pas le sentiment d'aller vers ma demeure. A un certain âge, il n'est pas de demeure où le repos soit possible, et c'est déjà beaucoup si l'on a pu faire soi-même cette dérisoire maison de briques, meublée de 145 souvenirs, où il arrive parfois que l'on s'endorme. Mais naturellement, ce serait quelque chose aussi, si je trouvais à la fois le sommeil et l'oubli.

Elle se lève et se dirige vers la porte. 150

Prépare tout, Martha. (*Un temps.*) Si vraiment cela en vaut la peine.

Martha la regarde sortir. Elle-même sort par une autre porte. 155

SCÈNE II

Le vieux domestique va à la fenêtre, aperçoit Jan et Maria, puis se dissimule. Le vieux reste en scène, seul,

[7] **Oui, j'en ai assez de porter toujours mon âme.** *Martha's ruthless determination to realize her dream of happiness, expressed in images of seashore and burning sun, is the mainspring of the play's murder mechanism.*

pendant quelques secondes. Entre Jan. Il s'arrête, regarde dans la salle, aperçoit le vieux, derrière la fenêtre.

JAN

Il n'y a personne? 5

Le vieux le regarde, traverse la scène et s'en va.

SCÈNE III

Entre Maria. Jan se retourne brusquement vers elle.

JAN

Tu m'as suivi.

MARIA

Pardonne-moi, je ne pouvais pas. Je partirai peut-être tout à l'heure. Mais laisse-moi voir l'endroit où je te laisse. 5

JAN

On peut venir et ce que je veux faire ne sera plus possible.

MARIA

Donnons-nous au moins cette chance que quelqu'un vienne et que je te fasse reconnaître malgré toi.

Il se détourne. Un temps. 10

MARIA
(*regardant autour d'elle*)

C'est ici?

JAN

Oui, c'est ici. J'ai pris cette porte, il y a vingt ans. Ma sœur était une petite fille. Elle jouait dans ce coin. Ma mère n'est pas venue m'embrasser. Je croyais alors que cela m'était égal. 15

MARIA

Jan, je ne puis croire qu'elles ne t'aient pas reconnu tout à l'heure. Une mère reconnaît toujours son fils.

JAN

Il y a vingt ans qu'elle ne m'a vu. J'étais un adolescent, presque un jeune garçon. Ma mère a vieilli, sa vue a baissé.[8] C'est à peine si moi-même je l'ai reconnue. 20

MARIA
(*avec impatience*)

Je sais, tu es entré, tu as dit: «Bonjour», tu t'es assis. Tu ne reconnaissais rien. 25

JAN

Ma mémoire n'était pas juste. Elles m'ont accueilli sans un mot. Elles m'ont servi la bière que je demandais. Elles me regardaient, elles ne me voyaient pas. Tout était plus difficile que je ne l'avais cru.

[8] **sa vue a baissé** her sight has grown dim.

MARIA

Tu sais bien que ce n'était pas difficile et qu'il suf- 30
fisait de parler. Dans ces cas-là, on dit: «C'est moi», et tout rentre dans l'ordre.

JAN

Oui, mais j'étais plein d'imaginations.[9] Et moi qui attendais un peu le repas du prodigue,[10] on m'a donné de la bière contre mon argent. J'étais ému, je n'ai pas 35
pu parler.

MARIA

Il aurait suffi d'un mot.

JAN

Je ne l'ai pas trouvé. Mais quoi, je ne suis pas si pressé. Je suis venu ici apporter ma fortune et, si je le puis, du bonheur. Quand j'ai appris la mort de mon 40
père, j'ai compris que j'avais des responsabilités envers elles deux et, l'ayant compris, je fais ce qu'il faut. Mais je suppose que ce n'est pas si facile qu'on le dit de rentrer chez soi et qu'il faut un peu de temps pour faire un fils d'un étranger. 45

[9] **Oui, mais j'étais plein d'imaginations.** *Jan, like Martha, wants to secure happiness for his mother and sister. But his way of going about it, his conspiratorial exuberance based on hopes and illusions, conceals his identity from Martha and allows a situation to arise where brother and sister are at cross purposes while striving for the same goal.*

[10] **le repas du prodigue** the Prodigal's meal. *This parable is related in Luke, Chapter XV.*

MARIA

Mais pourquoi n'avoir pas annoncé ton arrivée? Il y a des cas où l'on est bien obligé de faire comme tout le monde. Quand on veut être reconnu, on se nomme, c'est l'évidence même. On finit par tout brouiller en prenant l'air de ce qu'on n'est pas. Comment ne serais-tu 50 pas traité en étranger dans une maison où tu te présentes comme un étranger? Non, non, tout cela n'est pas sain.

JAN

Allons, Maria, ce n'est pas si grave. Et puis quoi, cela sert mes projets. Je vais profiter de l'occasion, les 55 voir un peu de l'extérieur. J'apercevrai mieux ce qui les rendra heureuses. Ensuite, j'inventerai les moyens de me faire reconnaître. Il suffit en somme de trouver ses mots.

MARIA

Il n'y a qu'un moyen. C'est de faire ce que ferait le 60 premier venu, de dire: «Me voilà», c'est de laisser parler son cœur.

JAN

Le cœur n'est pas si simple.

MARIA

Mais il n'use que de mots simples. Et ce n'était pas bien difficile de dire: «Je suis votre fils, voici ma femme. 65 J'ai vécu avec elle dans un pays que nous aimions, devant la mer et le soleil. Mais je n'étais pas assez heureux et aujourd'hui j'ai besoin de vous.»

JAN

Ne sois pas injuste, Maria. Je n'ai pas besoin d'elles, mais j'ai compris qu'elles devaient avoir besoin de moi 70 et qu'un homme n'était jamais seul.

Un temps. Maria se détourne.

MARIA

Peut-être as-tu raison, je te demande pardon. Mais je me méfie de tout depuis que je suis entrée dans ce 75 pays où je cherche en vain un visage heureux. Cette Europe est si triste.[11] Depuis que nous sommes arrivés, je ne t'ai plus entendu rire, et moi, je deviens soupçonneuse. Oh! pourquoi m'avoir fait quitter mon pays? Partons, Jan, nous ne trouverons pas le bonheur ici. 80

JAN

Ce n'est pas le bonheur que nous sommes venus chercher. Le bonheur, nous l'avons.

MARIA
(*avec véhémence*)

Pourquoi ne pas s'en contenter?[12]

[11] **Cette Europe est si triste.** *Maria reflects here the feelings of the author, for whom Europe had always offered a sad contrast to the sun-drenched land of his birth. During the war years, Europe seemed to Camus like a kind of hell.*

[12] **Pourquoi ne pas s'en contenter?** *Maria is perhaps as selfish in her happiness as Martha in her pursuit of it, but her selfishness arises from an awareness of the frailty of human happiness and of the threat posed to it by acts and language which are not simple and scrupulously honest.*

JAN

Le bonheur n'est pas tout et les hommes ont leur 85 devoir. Le mien est de retrouver ma mère, une patrie . . . .

Maria a un geste. Jan l'arrête: on entend des pas. Le vieux passe devant la 90 *fenêtre.*

JAN

On vient. Va-t'en, Maria, je t'en prie.

MARIA

Pas comme cela, ce n'est pas possible.

JAN
(*pendant que les pas se rapprochent*)

Mets-toi là. 95

Il la pousse derrière la porte du fond.[13]

SCÈNE IV

La porte du fond s'ouvre. Le vieux traverse la pièce sans voir Maria et sort par la porte du dehors.

JAN

Et maintenant, pars vite. Tu vois, la chance est avec moi.

[13] **du fond** at the back (*of the stage*).

MARIA

Je veux rester. Je me tairai et j'attendrai près de toi que tu sois reconnu.

JAN

Non, tu me trahirais.

Elle se détourne, puis revient vers lui et le regarde en face.

MARIA

Jan, il y a cinq ans que nous sommes mariés.

JAN

Il y aura bientôt cinq ans.

MARIA
(*baissant la tête*)

Cette nuit est la première où nous serons séparés.

Il se tait, elle le regarde de nouveau.

J'ai toujours tout aimé en toi, même ce que je ne comprenais pas et je vois bien qu'au fond, je ne te voudrais pas différent. Je ne suis pas une épouse bien contrariante. Mais ici, j'ai peur de ce lit désert où tu me renvoies et j'ai peur aussi que tu m'abandonnes.

JAN

Tu ne dois pas douter de mon amour.

MARIA

Oh! je n'en doute pas. Mais il y a ton amour et il y a tes rêves, ou tes devoirs, c'est la même chose. Tu m'échappes si souvent. C'est alors comme si tu te re- 25 posais de moi. Mais moi, je ne peux pas me reposer de toi et c'est ce soir (*elle se jette contre lui en pleurant*), c'est ce soir que je ne pourrai pas supporter.

JAN
(*la serrant contre lui*)

Cela est puéril. 30

MARIA

Bien sûr, cela est puéril. Mais nous étions si heureux là-bas et ce n'est pas de ma faute si les soirs de ce pays me font peur. Je ne veux pas que tu m'y laisses seule.

JAN

Je ne te laisserai pas longtemps. Comprends donc, 35 Maria, que j'ai une parole à tenir.

MARIA

Quelle parole?

JAN

Celle que je me suis donnée le jour où j'ai compris que ma mère avait besoin de moi.

MARIA

Tu as une autre parole à tenir. 40

JAN

Laquelle?

MARIA

Celle que tu m'as donnée le jour où tu as promis de vivre avec moi.

JAN

Je crois bien que je pourrai tout concilier. Ce que je te demande est peu de chose. Ce n'est pas un caprice. 45 Une soirée et une nuit où je vais essayer de m'orienter, de mieux connaître celles que j'aime et d'apprendre à les rendre heureuses.

MARIA
(*secouant la tête*)

La séparation est toujours quelque chose pour ceux 50 qui s'aiment comme il faut.

JAN

Sauvage, tu sais bien que je t'aime comme il faut.

MARIA

Non, les hommes ne savent jamais comment il faut aimer. Rien ne les contente. Tout ce qu'ils savent, c'est rêver, imaginer de nouveaux devoirs, chercher de 55 nouveaux pays et de nouvelles demeures. Tandis que nous, nous savons qu'il faut se dépêcher d'aimer, partager le même lit, se donner la main, craindre l'absence. Quand on aime, on ne rêve à rien.[14]

JAN

Que vas-tu chercher là? Il s'agit seulement de retrouver ma mère, de l'aider et la rendre heureuse. Quant à mes rêves ou mes devoirs, il faut les prendre comme ils sont. Je ne serais rien en dehors d'eux et tu m'aimerais moins si je ne les avais pas. 60

MARIA
(*lui tournant brusquement le dos*) 65

Je sais que tes raisons sont toujours bonnes et que tu peux me convaincre. Mais je ne t'écoute plus, je me bouche les oreilles quand tu prends la voix que je connais bien. C'est la voix de ta solitude, ce n'est pas celle de l'amour. 70

JAN
(*se plaçant derrière elle*)

Laissons cela, Maria. Je désire que tu me laisses seul ici afin d'y voir plus clair. Cela n'est pas si terrible et ce n'est pas une grande affaire que de coucher sous le même toit que sa mère. Dieu fera le reste.[15] Mais Dieu 75

[14] **Quand on aime, on ne rêve à rien.** *Maria, in contrast to Jan and Martha, nurses no dreams of future happiness; her love and happiness are rooted in a real present.*
[15] **Dieu fera le reste.** *Jan's optimism leads him to rely on Providence or circumstances to take care of a situation which should be controlled by human action and which can, in fact, be cleared up by his merely revealing his identity. That circumstances are apt, as often as not, to betray man's trust in them becomes increasingly apparent as the play progresses.*

sait aussi que je ne t'oublie pas dans tout cela. Seulement, on ne peut pas être heureux dans l'exil ou dans l'oubli. On ne peut pas toujours rester un étranger. Je veux retrouver mon pays, rendre heureux tous ceux que j'aime. Je ne vois pas plus loin. 80

MARIA

Tu pourrais faire tout cela en prenant un langage simple. Mais ta méthode n'est pas la bonne.[16]

JAN

Elle est la bonne puisque, par elle, je saurai si, oui ou non, j'ai raison d'avoir ces rêves.

MARIA

Je souhaite que ce soit oui et que tu aies raison. 85
Mais moi, je n'ai pas d'autre rêve que ce pays où nous étions heureux, pas d'autre devoir que toi.

JAN
(*la prenant contre lui*)

Laisse-moi aller. Je finirai par trouver les mots qui arrangeront tout. 90

MARIA
(*s'abandonnant*)

Oh! continue de rêver. Qu'importe, si je garde ton amour! D'habitude, je ne peux pas être malheureuse quand je suis contre toi. Je patiente, j'attends que tu te lasses de tes nuées: alors commence mon temps. Si je 95

[16] **la bonne** the right one.

suis malheureuse aujourd'hui, c'est que je suis bien sûre de ton amour et certaine pourtant que tu vas me renvoyer. C'est pour cela que l'amour des hommes est un déchirement. Ils ne peuvent se retenir de[17] quitter ce qu'ils préfèrent. 100

JAN

(*la prend au visage*[18] *et sourit*)

Cela est vrai, Maria. Mais quoi, regarde-moi, je ne suis pas si menacé. Je fais ce que je veux et j'ai le cœur en paix. Tu me confies pour une nuit à ma mère et à ma sœur, ce n'est pas si redoutable. 105

MARIA

(*se détachant de lui*)

Alors, adieu, et que mon amour te protège.

Elle marche vers la porte où elle s'arrête et, lui montrant ses mains vides. 110

Mais vois comme je suis démunie.[19] Tu pars à la découverte et tu me laisses dans l'attente.

Elle hésite. Elle s'en va.

SCÈNE V

Jan s'assied. Entre le vieux domestique qui tient la porte ouverte pour laisser passer Martha, et sort ensuite.

[17] **Ils ne peuvent se retenir de** They cannot help.
[18] **la prend au visage** takes her chin in his hand.
[19] **Mais vois comme je suis démunie** But see how defenseless I am.

JAN

Bonjour. Je viens pour la chambre.

MARTHA

Je sais. On la prépare. Il faut que je vous inscrive sur notre livre.[20] 5

Elle va chercher son livre et revient.

JAN

Vous avez un domestique bizarre.

MARTHA

C'est la première fois qu'on nous reproche quelque chose à son sujet.[21] Il fait toujours très exactement ce qu'il doit faire. 10

JAN

Oh! ce n'est pas un reproche. Il ne ressemble pas à tout le monde, voilà tout. Est-il muet?

MARTHA

Ce n'est pas cela.

JAN

Il parle donc? 15

[20] **Il faut que . . . livre.** I must write your name in the guest register.
[21] **à son sujet** about him.

MARTHA

Le moins possible et seulement pour l'essentiel.

JAN

En tout cas, il n'a pas l'air d'entendre ce qu'on lui dit.

MARTHA

On ne peut pas dire qu'il n'entende pas. C'est seulement qu'il entend mal.[22] Mais je dois vous demander 20
votre nom et vos prénoms.[23]

JAN

Hasek, Karl.

MARTHA

Karl, c'est tout?

JAN

C'est tout.

MARTHA

Date et lieu de naissance? 25

JAN

J'ai trente-huit ans.

[22] **C'est seulement qu'il entend mal.** *The seemingly peripheral activities of the old servant who does not "hear" well eventually place him at the very core of the misunderstanding.*
[23] **votre nom et vos prénoms** your full name.

MARTHA

Où êtes-vous né?

JAN
(*il hésite*)

En Bohême.[24]

MARTHA

Profession? 30

JAN

Sans profession.

MARTHA

Il faut être très riche ou très pauvre pour vivre sans un métier.

JAN
(*il sourit*)

Je ne suis pas très pauvre et, pour bien des raisons, 35 j'en suis content.

MARTHA
(*sur un autre ton*)

Vous êtes tchèque, naturellement?

JAN

Naturellement.

[24] **Bohême** Bohemia (*a province in Czechoslovakia*).

MARTHA

Domicile habituel? 40

JAN

La Bohême.

MARTHA

Vous en venez?[25]

JAN

Non, je viens d'Afrique. (*Elle a l'air de ne pas comprendre.*) De l'autre côté de la mer.

MARTHA

Je sais. (*Un temps.*) Vous y allez souvent? 45

JAN

Assez souvent.

MARTHA
(*elle rêve un moment, mais reprend*)

Quelle est votre destination?

JAN

Je ne sais pas. Cela dépendra de beaucoup de choses.

[25] **Vous en venez?** You come from there?

MARTHA

Vous voulez vous fixer ici? 50

JAN

Je ne sais pas. C'est selon ce que j'y trouverai.

MARTHA

Cela ne fait rien. Mais personne ne vous attend?

JAN

Non, personne, en principe.

MARTHA

Je suppose que vous avez une pièce d'identité?

JAN

Oui, je puis vous la montrer. 55

MARTHA

Ce n'est pas la peine. Il suffit que j'indique si c'est un passeport ou une carte d'identité.

JAN
(*hésitant*)

Un passeport. Le voilà. Voulez-vous le voir?

Elle l'a pris dans ses 60
mains, et va le lire, mais

le vieux domestique paraît dans l'encadrement de la porte.[26]

MARTHA

Non, je ne t'ai pas appelé. (*Il sort. Martha rend à Jan le passeport, sans le lire, avec une sorte de distraction.*) Quand vous allez là-bas, vous habitez près de la mer? 65

JAN

Oui.

Elle se lève, fait mine de ranger son cahier,[27] *puis se ravise et le tient ouvert devant elle.* 70

MARTHA
(*avec une dureté soudaine*)

Ah, j'oubliais! Vous avez de la famille? 75

JAN

J'en avais. Mais il y a longtemps que je l'ai quittée.

MARTHA

Non, je veux dire: «Etes-vous marié?»

[26] **Mais . . . de la porte.** *Note here the mute intervention of the servant which prevents the misunderstanding from being cleared up.*
[27] **fait mine de ranger son cahier** starts to put away her register.

JAN

Pourquoi me demandez-vous cela? On ne m'a posé cette question dans aucun autre hôtel.

MARTHA

Elle figure dans le questionnaire que nous donne l'administration du canton.[28] 80

JAN

C'est bizarre. Oui, je suis marié. D'ailleurs, vous avez dû voir mon alliance.

MARTHA

Je ne l'ai pas vue. Pouvez-vous me donner l'adresse de votre femme? 85

JAN

Elle est restée dans son pays.

MARTHA

Ah! parfait. (*Elle ferme son livre.*) Dois-je vous servir à boire, en attendant que votre chambre soit prête?

JAN

Non, j'attendrai ici. J'espère que je ne vous gênerai pas. 90

[28] **canton** district.

MARTHA

Pourquoi me gêneriez-vous? Cette salle est faite pour recevoir des clients.

JAN

Oui, mais un client tout seul est quelquefois plus gênant qu'une grande affluence.[29] 95

MARTHA
(*qui range la pièce*)

Pourquoi? Je suppose que vous n'aurez pas l'idée de me faire des contes.[30] Je ne puis rien donner à ceux qui viennent ici chercher des plaisanteries. Il y a longtemps qu'on l'a compris dans le pays. Et vous verrez 100 bientôt que vous avez choisi une auberge tranquille. Il n'y vient presque personne.

JAN

Cela ne doit pas arranger vos affaires.

MARTHA

Nous y avons perdu quelques recettes, mais gagné notre tranquillité. Et la tranquillité ne se paye jamais 105 assez cher. Au reste, un bon client vaut mieux qu'une pratique bruyante.[31] Ce que nous recherchons, c'est justement le bon client.

[29] **une grande affluence** a rush of customers.
[30] **me faire des contes** spin yarns for my benefit.
[31] **la pratique bruyante** a noisy clientele.

JAN

Mais . . . (*il hésite*), quelquefois, la vie ne doit pas être gaie pour vous? Ne vous sentez-vous pas très seules? 110

MARTHA
(*lui faisant face brusquement*)

Ecoutez, je vois qu'il me faut vous donner un avertissement. Le voici. En entrant ici, vous n'avez que les droits d'un client. En revanche, vous les recevez tous. Vous serez bien servi et je ne pense pas que vous aurez 115 un jour à vous plaindre de notre accueil. Mais vous n'avez pas à vous soucier de notre solitude, comme vous ne devez pas vous inquiéter de nous gêner, d'être importun ou de ne l'être pas. Prenez toute la place d'un client, elle est à vous de droit. Mais n'en prenez pas plus. 120

JAN

Je vous demande pardon. Je voulais vous marquer ma sympathie, et mon intention n'était pas de vous fâcher. Il m'a semblé simplement que nous n'étions pas si étrangers que cela l'un à l'autre.

MARTHA

Je vois qu'il me faut vous répéter qu'il ne peut être 125 question de me fâcher ou de ne pas me fâcher. Il me semble que vous vous obstinez à prendre un ton qui ne devrait pas être le vôtre, et j'essaie de vous le montrer. Je vous assure bien que je le fais sans me fâcher. N'est-ce pas notre avantage, à tous les deux, de garder 130 nos distances? Si vous continuiez à ne pas tenir le langage d'un client, cela est fort simple, nous refuserions de vous recevoir. Mais si, comme je le pense, vous voulez bien comprendre que deux femmes qui vous louent une chambre ne sont pas forcées de vous ad- 135 mettre, par surcroît,[32] dans leur intimité, alors, tout ira bien.

JAN

Cela est évident. Je suis impardonnable de vous avoir laissé croire que je pouvais m'y tromper.

MARTHA

Il n'y a aucun mal à cela. Vous n'êtes pas le premier 140 qui ait essayé de prendre ce ton. Mais j'ai toujours parlé assez clairement pour que la confusion devînt impossible.

JAN

Vous parlez clairement, en effet, et je reconnais que je n'ai plus rien à dire . . . pour le moment. 145

MARTHA

Pourquoi? Rien ne vous empêche de prendre le langage des clients.

JAN

Quel est ce langage?

MARTHA

La plupart nous parlaient de tout, de leurs voyages ou de politique, sauf de nous-mêmes. C'est ce que nous 150

[32] **par surcroît** in addition.

demandons. Il est même arrivé que certains nous aient parlé de leur propre vie et de ce qu'ils étaient. Cela était dans l'ordre. Après tout, parmi les devoirs pour lesquels nous sommes payées, entre celui d'écouter. Mais, bien entendu, le prix de pension ne peut pas comprendre 155 l'obligation pour l'hôtelier de répondre aux questions. Ma mère le fait quelquefois par indifférence, moi, je m'y refuse par principe. Si vous avez bien compris cela, non seulement nous serons d'accord, mais vous vous apercevrez que vous avez encore beaucoup de choses à 160 nous dire et vous découvrirez qu'il y a du plaisir, quelquefois, à être écouté quand on parle de soi-même.

JAN

Malheureusement, je ne saurai pas très bien parler de moi-même. Mais, après tout, cela n'est pas utile. Si je ne fais qu'un court séjour, vous n'aurez pas à me con- 165 naître. Et si je reste longtemps, vous aurez tout le loisir, sans que je parle, de savoir qui je suis.

MARTHA

J'espère seulement que vous ne me garderez pas une rancune inutile de ce que je viens de dire. J'ai toujours trouvé de l'avantage à montrer les choses telles qu'elles 170 sont, et je ne pouvais vous laisser continuer sur un ton qui, pour finir, aurait gâté nos rapports.[33] Ce que je dis est raisonnable. Puisque, avant ce jour, il n'y avait rien de commun entre nous, il n'y a vraiment aucune raison pour que, tout d'un coup, nous nous trouvions 175 une intimité.

[33] **aurait gâté nos rapports** would have spoiled our relationship.

JAN

Je vous ai déjà pardonnée. Je sais, en effet, que l'intimité ne s'improvise pas. Il faut y mettre du temps. Si, maintenant, tout vous semble clair entre nous, il faut bien que je m'en réjouisse. 180

Entre la mère.

SCÈNE VI

LA MÈRE

Bonjour, Monsieur. Votre chambre est prête.

JAN

Je vous remercie beaucoup, Madame.

La mère s'assied.

LA MÈRE
(*à Martha*)

Tu as rempli la fiche? 5

MARTHA

Oui.

LA MÈRE

Est-ce que je puis voir? Vous m'excuserez, Monsieur, mais la police est stricte. Ainsi, tenez, ma fille a omis de noter si vous êtes venu ici pour des raisons de santé, pour votre travail ou en voyage touristique. 10

JAN

Je suppose qu'il s'agit de tourisme.

LA MÈRE

A cause du cloître sans doute? On dit beaucoup de bien de notre cloître.

JAN

On m'en a parlé, en effet. J'ai voulu aussi revoir cette région que j'ai connue autrefois, et dont j'avais 15 gardé le meilleur souvenir.

MARTHA

Vous y avez habité?

JAN

Non, mais, il y a très longtemps, j'ai eu l'occasion de passer par ici. Je ne l'ai pas oublié.

LA MÈRE

C'est pourtant un bien petit village que le nôtre. 20

JAN

C'est vrai. Mais je m'y plais beaucoup.[34] Et, depuis que j'y suis, je me sens un peu chez moi.

LA MÈRE

Vous allez y rester longtemps?

[34] **je m'y plais beaucoup** I like it a great deal here.

JAN

Je ne sais pas. Cela vous paraît bizarre, sans doute. Mais, vraiment, je ne sais pas. Pour rester dans un 25 endroit, il faut avoir ses raisons—des amitiés, l'affection de quelques êtres. Sinon, il n'y a pas de motif de rester là plutôt qu'ailleurs. Et, comme il est difficile de savoir si l'on sera bien reçu, il est naturel que j'ignore encore ce que je ferai. 30

MARTHA

Cela ne veut pas dire grand-chose.

JAN

Oui, mais je ne sais pas mieux m'exprimer.

LA MÈRE

Allons, vous serez vite fatigué.

JAN

Non, j'ai un cœur fidèle, et je me fais vite des souvenirs, quand on m'en donne l'occasion. 35

MARTHA
(*avec impatience*)

Le cœur n'a rien à faire ici.

JAN
(*sans paraître avoir entendu, à la mère*)

Vous paraissez bien désabusée. Il y a donc si longtemps que vous habitez cet hôtel? 40

LA MÈRE

Il y a des années et des années de cela.[35] Tellement d'années que je n'en sais plus le commencement et que j'ai oublié ce que j'étais alors. Celle-ci est ma fille.

MARTHA

Mère, vous n'avez pas de raison de raconter ces choses. 45

LA MÈRE

C'est vrai, Martha.

JAN
(*très vite*)

Laissez donc. Je comprends si bien votre sentiment, Madame. C'est celui qu'on trouve au bout d'une vie de travail. Mais peut-être tout serait-il changé si vous 50 aviez été aidée comme doit l'être toute femme et si vous aviez reçu l'appui d'un bras d'homme.

LA MÈRE

Oh! je l'ai reçu dans le temps, mais il y avait trop à faire. Mon mari et moi y suffisions à peine.[36] Nous n'avions même pas le temps de penser l'un à l'autre et, 55 avant même qu'il fût mort, je crois que je l'avais oublié.

[35] **Il y a des années et des années de cela.** It's been years and years.
[36] **y suffisions à peine** were scarcely up to it.

JAN

Oui, je comprends cela. Mais . . . (*avec un temps d'hésitation*) un fils qui vous aurait prêté son bras, vous ne l'auriez peut-être pas oublié? 60

MARTHA

Mère, vous savez que nous avons beaucoup à faire.

LA MÈRE

Un fils! Oh, je suis une trop vieille femme! Les vieilles femmes désapprennent même d'aimer leur fils. Le cœur s'use, Monsieur.

JAN

Il est vrai. Mais je sais qu'il n'oublie jamais. 65

MARTHA

(*se plaçant entre eux et avec décision*)

Un fils qui entrerait ici trouverait ce que n'importe quel client est assuré d'y trouver: une indifférence bienveillante. Tous les hommes que nous avons reçus s'en sont accommodés.[37] Ils ont payé leur chambre et reçu 70 une clé. Ils n'ont pas parlé de leur cœur. (*Un temps.*) Cela simplifiait notre travail.

LA MÈRE

Laisse cela.

[37] **s'en sont accommodés** adapted themselves to it.

JAN
(*réfléchissant*)

Et sont-ils restés longtemps ainsi? 75

MARTHA

Quelques-uns très longtemps. Nous avons fait ce qu'il fallait pour qu'ils restent. D'autres, qui étaient moins riches, sont partis le lendemain. Nous n'avons rien fait pour eux.

JAN

J'ai beaucoup d'argent et je désire rester un peu 80 dans cet hôtel, si vous m'y acceptez. J'ai oublié de vous dire que je pouvais payer d'avance.

LA MÈRE

Oh, ce n'est pas cela que nous demandons!

MARTHA

Si vous êtes riche, cela est bien. Mais ne parlez plus de votre cœur. Nous ne pouvons rien pour lui. J'ai failli 85 vous demander[38] de partir, tant votre ton me lassait. Prenez votre clé, assurez-vous de votre chambre. Mais sachez que vous êtes dans une maison sans ressources pour le cœur. Trop d'années grises ont passé sur ce petit village et sur nous. Elles ont peu à peu refroidi cette 90 maison. Elles nous ont enlevé le goût de la sympathie. Je vous le dis encore, vous n'aurez rien ici qui ressemble à de l'intimité. Vous aurez ce que nous réservons toujours à nos rares voyageurs, et ce que nous leur réser-

[38] **J'ai failli vous demander** I almost asked you.

vons n'a rien à voir[39] avec les passions du cœur. Prenez 95
votre clé (*elle la lui tend*), et n'oubliez pas ceci: nous
vous accueillons, par intérêt, tranquillement, et, si nous
vous conservons, ce sera par intérêt, tranquillement.

Il prend la clé; elle sort,
il la regarde sortir. 100

LA MÈRE

N'y faites pas trop attention, Monsieur. Mais il est
vrai qu'il y a des sujets qu'elle n'a jamais pu supporter.

Elle se lève et il veut
l'aider.

Laissez, mon fils, je ne suis pas infirme. Voyez ces 105
mains qui sont encore fortes. Elles pourraient maintenir
les jambes d'un homme.

Un temps. Il regarde sa
clé.

Ce sont mes paroles qui vous donnent à réfléchir? 110

JAN

Non, pardonnez-moi, je vous ai à peine entendue.
Mais pourquoi m'avez-vous appelé «mon fils»?

LA MÈRE

Oh, je suis confuse! Ce n'était pas par familiarité,
croyez-le. C'était une manière de parler.

[39] **n'a rien à voir avec** has nothing to do with.

JAN

Je comprends. (*Un temps.*) Puis-je monter dans ma chambre?

LA MÈRE

Allez, Monsieur. Le vieux domestique vous attend dans le couloir.

Il la regarde. Il veut parler.

Avez-vous besoin de quelque chose?

JAN
(*hésitant*)

Non, Madame. Mais . . . je vous remercie de votre accueil.

SCÈNE VII

La mère est seule. Elle se rassied, pose ses mains sur la table, et les contemple.

LA MÈRE

Pourquoi lui avoir parlé de mes mains? Si, pourtant, il les avait regardées, peut-être aurait-il compris ce que lui disait Martha.

Il aurait compris, il serait parti. Mais il ne comprend pas. Mais il veut mourir. Et moi je voudrais seulement qu'il s'en aille pour que je puisse, encore ce soir, me coucher et dormir. Trop vieille! Je suis trop vieille pour refermer à nouveau mes mains autour de ses chevilles et contenir le balancement de son corps, tout le long du chemin qui mène à la rivière. Je suis trop vieille pour ce dernier effort qui le jettera dans l'eau et qui me laissera les bras ballants,[40] la respiration coupée et les muscles noués, sans force pour essuyer sur ma figure 15 l'eau qui aura rejailli sous le poids du dormeur. Je suis trop vieille! Allons, allons! la victime est parfaite. Je dois lui donner le sommeil que je souhaitais pour ma propre nuit. Et c'est . . . (*entre brusquement Martha*).

SCÈNE VIII

MARTHA

A quoi rêvez-vous encore? Vous savez pourtant que nous avons beaucoup à faire.

LA MÈRE

Je pensais à cet homme. Ou plutôt, je pensais à moi.

MARTHA

Il vaut mieux penser à demain. Soyez positive.

LA MÈRE

C'est le mot de ton père, Martha, je le reconnais. 5 Mais je voudrais être sûre que c'est la dernière fois que nous serons obligées d'être positives. Bizarre! Lui disait cela pour chasser la peur du gendarme et toi, tu en uses seulement pour dissiper la petite envie d'honnêteté qui vient de me venir. 10

[40] **les bras ballants** with arms dangling.

MARTHA

Ce que vous appelez une envie d'honnêteté, c'est seulement une envie de dormir. Suspendez votre fatigue jusqu'à demain et, ensuite, vous pourrez vous laisser aller.

LA MÈRE

Je sais que tu as raison. Mais avoue que ce voyageur 15
ne ressemble pas aux autres.

MARTHA

Oui, il est trop distrait, il exagère l'allure de l'innocence. Que deviendrait le monde si les condamnés se mettaient à confier au bourreau leurs peines de cœur? C'est un principe qui n'est pas bon. Et puis son 20
indiscrétion m'irrite. Je veux en finir.

LA MÈRE

C'est cela qui n'est pas bon. Auparavant, nous n'apportions ni colère ni compassion à notre travail; nous avions l'indifférence qu'il fallait. Aujourd'hui, moi, je suis fatiguée, et te voilà irritée. Faut-il donc s'entêter 25
quand les choses se présentent mal et passer par-dessus tout pour un peu plus d'argent?

MARTHA

Non, pas pour l'argent, mais pour l'oubli de ce pays et pour une maison devant la mer. Si vous êtes fatiguée de votre vie, moi, je suis lasse à mourir[41] de cet horizon 30

[41] **lasse à mourir** dead tired.

fermé, et je sens que je ne pourrai pas y vivre un mois de plus. Nous sommes toutes deux excédées de cette auberge, et vous, qui êtes vieille, voulez seulement fermer les yeux et oublier. Mais moi, qui me sens encore dans le cœur un peu des désirs de mes vingt ans, je veux faire en sorte de les quitter pour toujours, même si, pour cela, il faut entrer un peu plus avant[42] dans la vie que nous voulons déserter. Et il faut bien que vous m'y aidiez, vous qui m'avez mise au monde dans un pays de nuages et non sur une terre de soleil! 35 40

LA MÈRE

Je ne sais pas, Martha, si, dans un sens, il ne vaudrait pas mieux, pour moi, être oubliée comme je l'ai été par ton frère, plutôt que de m'entendre parler[43] sur ce ton.

MARTHA

Vous savez bien que je ne voulais pas vous peiner. (*Un temps, et farouche.*) Que ferais-je sans vous à mes côtés, que deviendrais-je loin de vous? Moi, du moins, je ne saurais pas vous oublier et, si le poids de cette vie me fait quelquefois manquer au respect que je vous dois, je vous en demande pardon. 45

LA MÈRE

Tu es une bonne fille et j'imagine aussi qu'une vieille femme est parfois difficile à comprendre. Mais je veux profiter de ce moment pour te dire cela que, depuis tout à l'heure, j'essaie de te dire: pas ce soir 50

[42] **un peu plus avant** a little further.
[43] **m'entendre parler** hear myself spoken to.

MARTHA

Eh quoi! nous attendrons demain? Vous savez bien que nous n'avons jamais procédé ainsi, qu'il ne faut pas 55 lui laisser le temps de voir du monde et qu'il faut agir pendant que nous l'avons sous la main.[44]

LA MÈRE

Je ne sais pas. Mais pas ce soir. Laissons-lui cette nuit. Donnons-nous ce sursis. C'est par lui peut-être que nous nous sauverons. 60

MARTHA

Nous n'avons que faire d'être sauvées,[45] ce langage est ridicule. Tout ce que vous pouvez espérer, c'est d'obtenir, en travaillant ce soir, le droit de vous endormir ensuite.

LA MÈRE

C'était cela que j'appelais être sauvée: dormir. 65

MARTHA

Alors, je vous le jure, ce salut est entre nos mains. Mère, nous devons nous décider. Ce sera ce soir ou ce ne sera pas.

RIDEAU.

[44] **sous la main** under our thumb.
[45] **Nous n'avons que faire d'être sauvées.** We have no need to be saved.

ACTE DEUXIEME

SCÈNE I

La chambre. Le soir commence à entrer dans la pièce. Jan regarde par la fenêtre.

JAN

Maria a raison, cette heure est difficile. (*Un temps.*) Que fait-elle, que pense-t-elle dans sa chambre d'hôtel, le cœur fermé, les yeux secs, toute nouée au creux d'une chaise?[46] Les soirs de là-bas sont des promesses de bonheur. Mais ici, au contraire . . . . (*Il regarde la chambre.*) Allons, cette inquiétude est sans raisons. Il faut savoir ce que l'on veut. C'est dans cette chambre que tout sera réglé.

On frappe brusquement. Entre Martha.

MARTHA

J'espère, Monsieur, que je ne vous dérange pas. Je voudrais changer vos serviettes et votre eau.

[46] **toute nouée au creux d'une chaise** all curled up in the hollow of a chair.

JAN

Je croyais que cela était fait. 15

MARTHA

Non, le vieux domestique a quelquefois des distractions.[47]

JAN

Cela n'a pas d'importance. Mais j'ose à peine vous dire que vous ne me dérangez pas.

MARTHA

Pourquoi? 20

JAN

Je ne suis pas sûr que cela soit dans nos conventions.

MARTHA

Vous voyez bien que vous ne pouvez pas répondre comme tout le monde.

JAN
(*il sourit*)

Il faut bien que je m'y habitue. Laissez-moi un peu 25
de temps.

[47] **distractions.** *The servant is at times absent-minded.*

MARTHA
(*qui travaille*)

Vous partez bientôt. Vous n'aurez le temps de rien.

Il se détourne et regarde par la fenêtre. Elle l'examine. Il a toujours le dos tourné. Elle parle en travaillant. 30

Je regrette, Monsieur, que cette chambre ne soit pas aussi confortable que vous pourriez le désirer. 35

JAN

Elle est particulièrement propre, c'est le plus important. Vous l'avez d'ailleurs récemment transformée, n'est-ce pas?

MARTHA

Oui. Comment le voyez-vous?

JAN

A des détails. 40

MARTHA

En tout cas, bien des clients regrettent l'absence d'eau courante et l'on ne peut pas vraiment leur donner tort.[48] Il y a longtemps aussi que nous voulions faire placer une ampoule électrique au-dessus du lit. Il est désagréable, pour ceux qui lisent au lit, d'être obligés de 45 se lever pour tourner le commutateur.

[48] **leur donner tort** blame them.

JAN
(*il se retourne*)

En effet, je ne l'avais pas remarqué. Mais ce n'est pas un gros ennui.

MARTHA

Vous êtres très indulgent. Je me félicite que les nombreuses imperfections de notre auberge vous soient indifférentes. J'en connais d'autres qu'elles auraient suffi à chasser. 50

JAN

Malgré nos conventions, laissez-moi vous dire que vous êtes singulière. Il me semble, en effet, que ce n'est pas le rôle de l'hôtelier de mettre en valeur[49] les défectuosités de son installation. On dirait, vraiment, que vous cherchez à me persuader de partir. 55

MARTHA

Ce n'est pas tout à fait ma pensée. (*Prenant une décision.*) Mais il est vrai que ma mère et moi hésitions beaucoup à vous recevoir. 60

JAN

J'ai pu remarquer au moins que vous ne faisiez pas beaucoup pour me retenir. Mais je ne comprends pas pourquoi. Vous ne devez pas douter que je suis solvable et je ne donne pas l'impression, j'imagine, d'un homme qui a quelque méfait à se reprocher. 65

[49] **mettre en valeur** call attention to.

MARTHA

Non, ce n'est pas cela. Vous n'avez rien du malfaiteur. Notre raison est ailleurs. Nous devons quitter cet hôtel, et depuis quelque temps, nous projetions chaque jour de fermer l'établissement pour commencer 70
nos préparatifs. Cela nous était facile, il nous vient rarement des clients. Mais c'est avec vous que nous comprenons à quel point nous avions abandonné l'idée de reprendre notre ancien métier.

JAN

Avez-vous donc envie de me voir partir? 75

MARTHA

Je vous l'ai dit, nous hésitons et, surtout, j'hésite. En fait, tout dépend de moi et je ne sais encore à quoi me décider.

JAN

Je ne veux pas vous être à charge,[50] ne l'oubliez pas, et je ferai ce que vous voudrez. Je dois dire cependant 80
que cela m'arrangerait[51] de rester encore un ou deux jours. J'ai des affaires à mettre en ordre, avant de reprendre mes voyages, et j'espérais trouver ici la tranquillité et la paix qu'il me fallait.

MARTHA

Je comprends votre désir, croyez-le bien, et, si vous 85
le voulez, j'y penserai encore.

[50] **être à charge** to be a burden.
[51] **cela m'arrangerait** it would suit me.

Un temps. Elle fait un pas indécis vers la porte.

Allez-vous donc retourner au pays d'où vous venez?

JAN

Peut-être. 90

MARTHA

C'est un beau pays, n'est-ce pas?

JAN
(*il regarde par la fenêtre*)

Oui, c'est un beau pays.

MARTHA

On dit que, dans ces régions, il y a des plages tout à fait désertes? 95

JAN

C'est vrai. Rien n'y rappelle l'homme. Au petit matin, on trouve sur le sable les traces laissées par les pattes des oiseaux de mer. Ce sont les seuls signes de vie. Quant aux soirs . . .

Il s'arrête. 100

MARTHA
(*doucement*)

Quant aux soirs, Monsieur?

JAN

Ils sont bouleversants. Oui, c'est un beau pays.

MARTHA
(*avec un nouvel accent*)

J'y ai souvent pensé. Des voyageurs m'en ont parlé, 105
j'ai lu ce que j'ai pu. Souvent, comme aujourd'hui, au
milieu de l'aigre printemps de ce pays, je pense à la mer
et aux fleurs de là-bas. (*Un temps, puis, sourdement.*)
Et ce que j'imagine me rend aveugle à tout ce qui
m'entoure. 110

Il la regarde avec attention, s'assied doucement devant elle.

JAN

Je comprends cela. Le printemps de là-bas vous
prend à la gorge, les fleurs éclosent par milliers au-dessus 115
des murs blancs. Si vous vous promeniez une heure sur
les collines qui entourent ma ville, vous rapporteriez
dans vos vêtements l'odeur de miel des roses jaunes.

Elle s'assied aussi.

MARTHA

Cela est merveilleux. Ce que nous appelons le prin- 120
temps, ici, c'est une rose et deux bourgeons qui viennent de pousser dans le jardin du cloître. (*Avec mépris.*)
Cela suffit à remuer les hommes de mon pays. Mais leur
cœur ressemble à cette rose avare. Un souffle plus puis-
sant les fanerait, ils ont le printemps qu'ils méritent. 125

JAN

Vous n'êtes pas tout à fait juste. Car vous avez aussi l'automne.

MARTHA

Qu'est-ce que l'automne?

JAN

Un deuxième printemps, où toutes les feuilles sont comme des fleurs. (*Il la regarde avec insistance.*) Peut- 130
être en est-il ainsi des êtres que vous verriez fleurir, si seulement vous les aidiez de votre patience.

MARTHA

Je n'ai plus de patience en réserve pour cette Europe où l'automne a le visage de printemps et le printemps odeur de misère. Mais j'imagine avec délices cet autre 135
pays où l'été écrase tout, où les pluies d'hiver noient les villes et où, enfin, les choses sont ce qu'elles sont.

Un silence. Il la regarde avec de plus en plus de curiosité. Elle s'en aper- 140
çoit et se lève brusquement.

MARTHA

Pourquoi me regardez-vous ainsi?

JAN

Pardonnez-moi, mais puisque, en somme, nous venons de laisser nos conventions, je puis bien vous 145 le dire: il me semble que, pour la première fois, vous venez de me tenir un langage humain.[52]

MARTHA
(*avec violence*)

Vous vous trompez sans doute. Si même cela était, vous n'auriez pas de raison de vous en réjouir. Ce que 150 j'ai d'humain n'est pas ce que j'ai de meilleur. Ce que j'ai d'humain, c'est ce que je désire, et pour obtenir ce que je désire, je crois que j'écraserais tout sur mon passage.

JAN
(*il sourit*) 155

Ce sont des violences que je peux comprendre. Je n'ai pas besoin de m'en effrayer puisque je ne suis pas un obstacle sur votre chemin. Rien ne me pousse à m'opposer à vos désirs.

MARTHA

Vous n'avez pas de raisons de vous y opposer, cela 160 est sûr. Mais vous n'en avez pas non plus de vous y prêter et, dans certains cas, cela peut tout précipiter.

JAN

Qui vous dit que je n'ai pas de raisons de m'y prêter?

MARTHA

Le bon sens, et le désir où je suis de vous tenir en dehors de mes projets. 165

[52] **vous venez de me tenir un langage humain** you have spoken to me like a human being.

JAN

Si je comprends bien, nous voilà revenus à nos conventions.

MARTHA

Oui, et nous avons eu tort de nous en écarter,[53] vous le voyez bien. Je vous remercie seulement de m'avoir parlé des pays que vous connaissez et je m'excuse de 170 vous avoir peut-être fait perdre votre temps. (*Elle est déjà près de la porte.*)

Je dois dire cependant que, pour ma part, ce temps n'a pas été tout à fait perdu. Il a réveillé en moi des désirs qui, peut-être, s'endormaient.[54] S'il est vrai que 175 vous teniez à rester ici, vous avez, sans le savoir, gagné votre cause. J'étais venue presque décidée à vous demander de partir, mais, vous le voyez, vous en avez appelé à[55] ce que j'ai d'humain, et je souhaite maintenant que vous restiez. Mon goût pour la mer et les pays 180 du soleil finira par y gagner.

Il la regarde un moment en silence.

JAN
(*lentement*)

Votre langage est bien étrange. Mais je resterai, si 185 je le puis, et si votre mère non plus n'y voit pas d'inconvénient.

[53] **nous avons eu tort de nous en écarter** we were wrong to depart from them.
[54] **qui, peut-être, s'endormaient.** *Martha's words are charged with a cruel irony which is apparent to the spectator but not to Jan, whose description of happiness in a far-off land has rekindled her longing to escape and, by the same stroke, sealed her decision to murder him.*
[55] **vous en avez appelé à** you have appealed to.

MARTHA

Ma mère a des désirs moins forts que les miens, cela est naturel. Elle n'a donc pas les mêmes raisons que moi de souhaiter votre présence. Elle ne pense pas assez à 190 la mer et aux plages sauvages pour admettre qu'il faille que vous restiez. C'est une raison qui ne vaut que pour moi. Mais, en même temps, elle n'a pas de motifs assez forts à m'opposer, et cela suffit à régler la question.

JAN

Si je comprends bien, l'une de vous m'admettra par 195 intérêt et l'autre par indifférence?

MARTHA

Que peut demander de plus un voyageur?

Elle ouvre la porte.

JAN

Il faut donc m'en réjouir. Mais sans doute comprendrez-vous que tout ici me paraisse singulier, le 200 langage et les êtres. Cette maison est vraiment étrange.

MARTHA

Peut-être est-ce seulement que vous vous y conduisez de façon étrange.

Elle sort.

SCÈNE II

JAN
(*regardant vers la porte*)

Peut-être, en effet . . . (*il va vers le lit et s'y assied*). Mais cette fille me donne seulement le désir de partir, de retrouver Maria et d'être encore heureux. Tout cela est stupide. Qu'est-ce que je fais ici? Mais non, j'ai la charge de ma mère et de ma sœur. Je les ai oubliées trop longtemps. (*Il se lève.*) Oui, c'est dans cette chambre que tout sera réglé. 5

Qu'elle est froide, cependant! Je n'en reconnais rien, tout a été mis à neuf.[56] Elle ressemble maintenant à toutes les chambres d'hôtel de ces villes étrangères où des hommes seuls arrivent chaque nuit. J'ai connu cela aussi. Il me semblait alors qu'il y avait une réponse à trouver. Peut-être la recevrai-je ici. (*Il regarde au dehors.*) Le ciel se couvre.[57] Et voici maintenant ma vieille angoisse, là, au creux de[58] mon corps, comme une mauvaise blessure que chaque mouvement irrite. Je connais son nom. Elle est peur de la solitude éternelle, crainte qu'il n'y ait pas de réponse. Et qui répondrait dans une chambre d'hôtel?[59] 10 15 20

Il s'est avancé vers la sonnette. Il hésite, puis il sonne. On n'entend rien. Un moment de silence, des pas, on frappe un coup. La porte s'ouvre. 25

[56] **mis à neuf** done over.
[57] **se couvre** is getting cloudy.
[58] **au creux de** in the pit of.
[59] **Et qui . . . d'hotel?** *Jan seems to become dimly aware that the method he has chosen to find happiness is doomed to failure. His call is "answered" by the mute servant.*

Dans l'encadrement, se tient le vieux domestique. Il reste immobile et silencieux. 30

JAN

Ce n'est rien. Excusez-moi. Je voulais savoir seulement si quelqu'un répondait, si la sonnerie fonctionnait.

Le vieux le regarde, puis ferme la porte. Les pas 35 *s'éloignent.*

SCÈNE III

JAN

La sonnerie fonctionne, mais lui ne parle pas. Ce n'est pas une réponse. (*Il regarde le ciel.*) Que faire?

On frappe deux coups.[60] *La sœur entre avec un plateau.* 5

SCÈNE IV

JAN

Qu'est-ce que c'est?

[60] **On frappe deux coups** There are two knocks on the door.

MARTHA

Le thé que vous avez demandé.

JAN

Je n'ai rien demandé.

MARTHA

Ah? Le vieux aura mal entendu. Il comprend souvent à moitié. (*Elle met le plateau sur la table. Jan fait* 5 *un geste.*) Dois-je le remporter?

JAN

Non, non, je vous remercie au contraire.

Elle le regarde. Elle sort.

SCÈNE V

Il prend la tasse, la regarde, la pose à nouveau.

JAN

Un verre de bière, mais contre mon argent; une tasse de thé, et par mégarde. (*Il prend la tasse et la tient un moment en silence. Puis sourdement.*) O mon Dieu! donnez-moi de trouver mes mots[61] ou faites que j'aban- 5 donne cette vaine entreprise pour retrouver l'amour de

[61] **de trouver mes mots.** *Jan becomes increasingly aware that he must find the right language to put an end to a situation which is becoming alarming. Yet his language remains ambiguous in the scene which follows.*

Maria. Donnez-moi alors la force de choisir ce que je préfère et de m'y tenir.[62] (*Il rit.*) Allons, faisons honneur au festin du prodigue!

Il boit. On frappe fortement à la porte. 10

Eh bien?

La porte s'ouvre. Entre la mère.

SCÈNE VI

LA MÈRE

Pardonnez-moi, Monsieur, ma fille me dit qu'elle vous a donné du thé.

JAN

Vous voyez.

LA MÈRE

Vous l'avez bu?

JAN

Oui, pourquoi? 5

LA MÈRE

Excusez-moi, je vais enlever le plateau.

62 **m'y tenir** stick to it.

JAN
(*il sourit*)

Je regrette de vous avoir dérangée.

LA MÈRE

Ce n'est rien. En réalité, ce thé ne vous était pas destiné. 10

JAN

Ah! c'est donc cela. Votre fille me l'a apporté sans que je l'aie commandé.

LA MÈRE
(*avec une sorte de lassitude*)

Oui, c'est cela. Il eût mieux valu . . . .

JAN
(*surpris*) 15

Je le regrette, croyez-le, mais votre fille a voulu me le laisser quand même et je n'ai pas cru . . . .

LA MÈRE

Je le regrette aussi. Mais ne vous excusez pas. Il s'agit seulement d'une erreur.

Elle range le plateau et va sortir. 20

JAN

Madame!

LA MÈRE

Oui.

JAN

Je viens de prendre une décision: je crois que je partirai ce soir, après le dîner. Naturellement, je vous paierai la chambre. 25

Elle le regarde en silence.

Je comprends que vous paraissiez surprise. Mais ne croyez pas surtout que vous soyez responsable de quelque chose. Je ne me sens pour vous que des sentiments de sympathie, et même de grande sympathie. Mais pour être sincère, je ne suis pas à mon aise ici, je préfère ne pas prolonger mon séjour. 30

LA MÈRE
(*lentement*)

Cela ne fait rien, Monsieur. En principe, vous êtes tout à fait libre. Mais, d'ici le dîner,[63] vous changerez peut-être d'avis. Quelquefois, on obéit à l'impression du moment et puis les choses s'arrangent et l'on finit par s'habituer. 35

JAN

Je ne crois pas, Madame. Je ne voudrais cependant pas que vous vous imaginiez que je pars mécontent. Au contraire, je vous suis très reconnaissant de m'avoir accueilli comme vous l'avez fait. (*Il hésite.*) Il m'a semblé sentir chez vous une sorte de bienveillance à mon égard.[64] 40 45

[63] **d'ici le dîner** between now and dinner.
[64] **bienveillance à mon égard** a benevolent concern for me.

LA MÈRE

C'était tout à fait naturel, Monsieur. Je n'avais pas de raisons personnelles de vous marquer de l'hostilité.

JAN
(*avec une émotion contenue*)

Peut-être, en effet. Mais si je vous dis cela, c'est que je désire vous quitter en bons termes. Plus tard, peut- 50 être, je reviendrai. J'en suis même sûr. Mais pour l'instant, j'ai le sentiment de m'être trompé et de n'avoir rien à faire ici. Pour tout vous dire, j'ai l'impression pénible que cette maison n'est pas la mienne.

Elle le regarde toujours. 55

LA MÈRE

Oui, bien sûr. Mais d'ordinaire, ce sont des choses qu'on sent tout de suite.

JAN

Vous avez raison. Voyez-vous, je suis un peu distrait. Et puis ce n'est jamais facile de revenir dans un pays que l'on a quitté depuis longtemps. Vous devez com- 60 prendre cela.

LA MÈRE

Je vous comprends, Monsieur, et j'aurais voulu que les choses s'arrangent pour vous. Mais je crois que, pour notre part, nous ne pouvons rien faire.

JAN

Oh! cela est sûr et je ne vous reproche rien. Vous 65
êtes seulement les premières personnes que je rencontre
depuis mon retour et il est naturel que je sente d'abord
avec vous les difficultés qui m'attendent. Bien entendu,
tout vient de moi, je suis encore dépaysé.

LA MÈRE

Quand les choses s'arrangent mal, on ne peut rien 70
y faire.[65] Dans un certain sens, cela m'ennuie aussi que
vous ayez décidé de partir. Mais je me dis qu'après tout,
je n'ai pas de raisons d'y attacher de l'importance.

JAN

C'est beaucoup déjà que vous partagiez mon ennui
et que vous fassiez l'effort de me comprendre. Je ne sais 75
pas si je saurais bien vous exprimer à quel point ce que
vous venez de dire me touche et me fait plaisir. (*Il a un
geste vers elle.*) Voyez-vous . . . .

LA MÈRE

C'est notre métier de nous rendre agréables à tous
nos clients. 80

JAN
(*découragé*)

Vous avez raison. (*Un temps.*) En somme, je vous
dois seulement des excuses et, si vous le jugez bon,[66] un
dédommagement.

[65] **on ne peut rien y faire** no one can do anything about it.
[66] **si vous le jugez bon** if you deem it proper.

Il passe sa main sur son front. Il semble plus fatigué. Il parle moins facilement. 85

Vous avez pu faire des préparatifs, engager des frais,[67] et il est tout à fait naturel 90

LA MÈRE

Nous n'avons certes pas de dédommagement à vous demander. Ce n'est pas pour nous que je regrettais votre incertitude, c'est pour vous.

JAN
(*il s'appuie à la table*)

Oh! cela ne fait rien. L'essentiel est que nous soyons 95 d'accord et que vous ne gardiez pas de moi un trop mauvais souvenir. Je n'oublierai pas votre maison, croyez-le bien, et j'espère que, le jour où j'y reviendrai, je serai dans de meilleures dispositions.[68]

Elle marche sans un mot 100 *vers la porte.*

JAN

Madame!

Elle se retourne. Il parle avec difficulté, mais finit plus aisément qu'il n'a 105 *commencé.*

[67] **engager des frais** go to expense.
[68] **dans de meilleures dispositions** in a better frame of mind.

Je voudrais . . . (*il s'arrête*). Pardonnez-moi, mais mon voyage m'a fatigué. (*Il s'assied sur le lit.*) Je voudrais, du moins, vous remercier . . . . Je tiens aussi à ce que vous le sachiez,[69] ce n'est pas comme un hôte indifférent que je quitterai cette maison. 110

LA MÈRE

Je vous en prie, Monsieur.

Elle sort.

SCÈNE VII

Il la regarde sortir. Il fait un geste, mais donne, en même temps, des signes de fatigue. Il semble céder à la lassitude et s'accoude à l'oreiller.

JAN

Je reviendrai demain avec Maria, et je dirai: «C'est moi.» Je les rendrai heureuses. Tout cela est évident. 5 Maria avait raison. (*Il soupire, s'étend à moitié.*) Oh! je n'aime pas ce soir où tout est si lointain. (*Il est tout à fait couché, il dit des mots qu'on n'entend pas, d'une voix à peine perceptible.*) Oui ou non?

Il remue. Il dort. La scène est presque dans la nuit. Long silence. La porte s'ouvre. Entrent les deux femmes avec une lumière. Le vieux domestique les suit. 10 15

[69] **Je tiens aussi à ce que vous le sachiez** I also want you to know.

SCÈNE VIII

MARTHA

(*après avoir éclairé le corps, d'une voix étouffée*)[70]

Il dort.

LA MÈRE

(*de la même voix, mais qu'elle élève peu à peu*)

Non, Martha! Je n'aime pas cette façon de me forcer la main. Tu me traînes à cet acte. Tu commences, pour m'obliger à finir. Je n'aime pas cette façon de passer par-dessus mon hésitation. 5

MARTHA

C'est une façon de tout simplifier. Dans le trouble où vous étiez, c'était à moi de vous aider en agissant.

LA MÈRE

Je sais bien qu'il fallait que cela finisse. Il n'empêche.[71] Je n'aime pas cela. 10

MARTHA

Allons, pensez plutôt à demain et faisons vite.

Elle fouille le veston[72] et en tire un portefeuille dont elle compte les billets. Elle vide toutes les poches du dormeur. Pendant cette opération, le 15

[70] **d'une voix étouffée** in a muffled voice.
[71] **Il n'empêche** Just the same.
[72] **fouille le veston** searches his coat.

passeport tombe et glisse derrière le lit. Le vieux 20
domestique va le ramasser sans que les femmes le voient et se retire.[73]

MARTHA

Voilà. Tout est prêt. Dans un instant, les eaux de la rivière seront pleines. Descendons. Nous viendrons 25
le chercher quand nous entendrons l'eau couler par-dessus le barrage. Venez!

LA MÈRE
(*avec calme*)

Non, nous sommes bien ici.

Elle s'assied. 30

MARTHA

Mais . . . (*elle regarde sa mère puis, avec défi*). Ne croyez pas que cela m'effraie. Attendons ici.

LA MÈRE

Mais oui, attendons. Attendre est bon, attendre est reposant. Tout à l'heure, il faudra le porter tout le long du chemin, jusqu'à la rivière. Et d'avance j'en suis fa- 35
tiguée, d'une fatigue tellement vieille que mon sang ne peut plus la digérer. (*Elle oscille sur elle-même comme si elle dormait à moitié.*) Pendant ce temps, lui ne se doute de rien. Il dort. Il en a terminé avec ce monde.

[73] **Le vieux domestique . . . et se retire.** *Again, it is the intervention of the servant that prevents a last-minute reversal of the situation.*

Tout lui sera facile, désormais. Il passera seulement 40
d'un sommeil peuplé d'images à un sommeil sans rêves.
Et ce qui, pour tout le monde, est un affreux arrachement ne sera pour lui qu'un long dormir.

MARTHA
(*avec défi*)

Réjouissons-nous donc! Je n'avais pas de raisons de le 45
haïr, et je suis heureuse que la souffrance au moins lui
soit épargnée. Mais . . . il me semble que les eaux montent. (*Elle écoute, puis sourit.*) Mère, mère, tout sera
fini, bientôt.

LA MÈRE
(*même jeu*) 50

Oui, tout sera fini. Les eaux montent. Pendant ce
temps, lui ne se doute de rien. Il dort. Il ne connaît plus
la fatigue du travail à décider, du travail à terminer. Il
dort, il n'a plus à se raidir, à se forcer, à exiger de lui-même ce qu'il ne peut pas faire. Il ne porte plus la croix 55
de cette vie intérieure qui proscrit le repos, la distraction, la faiblesse . . . Il dort et ne pense plus, il n'a plus
de devoirs ni de tâches, non, non, et moi, vieille et fatiguée, oh, je l'envie de dormir maintenant et de devoir
mourir bientôt. (*Silence.*) Tu ne dis rien, Martha? 60

MARTHA

Non. J'écoute. J'attends le bruit des eaux.

LA MÈRE

Dans un moment. Dans un moment seulement. Oui,
encore un moment. Pendant ce temps, au moins, le bonheur est encore possible.

MARTHA

Le bonheur sera possible ensuite. Pas avant. 65

LA MÈRE

Savais-tu, Martha, qu'il voulait partir ce soir?

MARTHA

Non, je ne le savais pas. Mais, le sachant, j'aurais agi de même. Je l'avais décidé.

LA MÈRE

Il me l'a dit tout à l'heure, et je ne savais que lui répondre. 70

MARTHA

Vous l'avez donc vu?

LA MÈRE

Je suis montée ici, pour l'empêcher de boire. Mais il était trop tard.

MARTHA

Oui, il était trop tard! Et puisqu'il faut vous le dire, c'est lui qui m'y a décidée. J'hésitais. Mais il m'a parlé 75 des pays que j'attends et, pour avoir su me toucher, il m'a donné des armes contre lui. C'est ainsi que l'innocence est récompensée.

LA MÈRE

Pourtant, Martha, il avait fini par comprendre. Il m'a dit qu'il sentait que cette maison n'était pas la sienne. 80

MARTHA
(*avec force et impatience*)

Et cette maison, en effet, n'est pas la sienne, mais c'est qu'elle n'est celle de personne. Et personne n'y trouvera jamais l'abandon ni la chaleur. S'il avait compris cela plus vite, il se serait épargné et nous aurait évité d'avoir à lui apprendre que cette chambre est faite pour qu'on y dorme et ce monde pour qu'on y meure. Assez maintenant, nous . . . (*on entend au loin le bruit des eaux*). Ecoutez, l'eau coule par-dessus le barrage. Venez, mère, et pour l'amour de ce Dieu que vous invoquez quelquefois, finissons-en.[74] 85 90

La mère fait un pas vers le lit.

LA MÈRE

Allons! Mais il me semble que cette aube n'arrivera jamais. 95

RIDEAU.

[74] **finissons-en** let's get it over with.

ACTE TROISIEME

SCÈNE I

La mère, Martha et le domestique sont en scène.[75] *Le vieux balaie et range. La sœur est derrière le comptoir, tirant ses cheveux en arrière. La mère traverse le plateau, se dirigeant vers la porte.*

MARTHA

Vous voyez bien que cette aube est arrivée. 5

LA MÈRE

Oui. Demain, je trouverai que c'est une bonne chose que d'en avoir fini. Maintenant, je ne sens que ma fatigue.

MARTHA

Ce matin est, depuis des années, le premier où je respire. Il me semble que j'entends déjà la mer. Il y a 10 en moi une joie qui va me faire crier.

LA MÈRE

Tant mieux, Martha, tant mieux. Mais je me sens

[75] **en scène** on stage.

maintenant si vieille que je ne peux rien partager avec toi. Demain, tout ira mieux.

MARTHA

Oui, tout ira mieux, je l'espère. Mais ne vous plaignez pas encore et laissez-moi être heureuse à loisir. Je redeviens la jeune fille que j'étais. De nouveau, mon corps brûle, j'ai envie de courir. Oh! dites-moi seulement 15

Elle s'arrête. 20

LA MÈRE

Qu'y a-t-il, Martha? Je ne te reconnais plus.

MARTHA

Mère . . . (*elle hésite, puis avec feu*). Suis-je encore belle?

LA MÈRE

Tu l'es, ce matin. Le crime est beau.

MARTHA

Qu'importe maintenant le crime! Je nais pour la seconde fois, je vais rejoindre la terre où je serai heureuse. 25

LA MÈRE

Bien. Je vais aller me reposer. Mais je suis contente de savoir que la vie va enfin commencer pour toi.

Le vieux domestique apparaît en haut de l'escalier, descend vers Martha, lui tend le passeport, puis sort sans rien dire. Martha ouvre le passeport et le lit, sans réaction. 30 35

LA MÈRE

Qu'est-ce que c'est?

MARTHA
(*d'une voix calme*)

Son passeport. Lisez. 40

LA MÈRE

Tu sais bien que mes yeux sont fatigués.

MARTHA

Lisez! Vous saurez son nom.

La mère prend le passeport, vient s'asseoir devant une table, étale le carnet[76] *et lit. Elle regarde longtemps les pages devant elle.* 45

[76] **étale le carnet** spreads out the booklet.

LA MÈRE
(*d'une voix neutre*)

Allons, je savais bien qu'un jour cela tournerait de cette façon et qu'alors il faudrait en finir.[77] 50

MARTHA
(*elle vient se placer devant le comptoir*)

Mère!

LA MÈRE
(*de même*)

Laisse, Martha, j'ai bien assez vécu. J'ai vécu beaucoup plus longtemps que mon fils. Je ne l'ai pas reconnu et je l'ai tué. Je peux maintenant aller le rejoindre au fond de cette rivière où les herbes couvrent déjà son visage. 55

MARTHA

Mère! vous n'allez pas me laisser seule? 60

LA MÈRE

Tu m'as bien aidée, Martha, et je regrette de te quitter. Si cela peut encore avoir du sens, je dois témoigner qu'à ta manière tu as été une bonne fille. Tu m'as toujours rendu le respect que tu me devais. Mais maintenant, je suis lasse et mon vieux cœur, qui se croyait détourné de tout, vient de réapprendre la douleur. Je ne suis plus assez jeune pour m'en arranger.[78] Et de toutes façons, quand une mère n'est plus capable de 65

[77] **il faudrait en finir** I should have to end it all.
[78] **pour m'en arranger** to come to terms with it.

reconnaître son fils, c'est que son rôle sur la terre est fini. 70

MARTHA

Non, si le bonheur de sa fille est encore à construire. Je ne comprends pas ce que vous me dites. Je ne reconnais pas vos mots. Ne m'avez-vous pas appris à ne rien respecter?

LA MÈRE
(*de la même voix indifférente*) 75

Oui, mais, moi, je viens d'apprendre que j'avais tort et que sur cette terre où rien n'est assuré, nous avons nos certitudes. (*Avec amertume.*) L'amour d'une mère pour son fils est aujourd'hui ma certitude.

MARTHA

N'êtes-vous donc pas certaine qu'une mère puisse 80 aimer sa fille?

LA MÈRE

Je ne voudrais pas te blesser maintenant, Martha, mais il est vrai que ce n'est pas la même chose. C'est moins fort. Comment pourrais-je me passer de[79] l'amour de mon fils? 85

MARTHA
(*avec éclat*)[80]

Bel amour[81] qui vous oublia vingt ans!

[79] **me passer de** to do without.
[80] **avec éclat** vehemently.
[81] **Bel amour** A fine love (*ironic*).

LA MÈRE

Oui, bel amour qui survit à vingt ans de silence. Mais qu'importe! cet amour est assez beau pour moi, puisque je ne peux vivre en dehors de lui. 90

Elle se lève.

MARTHA

Il n'est pas possible que vous disiez cela sans l'ombre d'une révolte et sans une pensée pour votre fille.

LA MÈRE

Non, je n'ai de pensée pour rien et moins encore de révolte. C'est la punition, Martha, et je suppose qu'il 95 est une heure où tous les meurtriers sont comme moi, vidés par l'intérieur, stériles, sans avenir possible. C'est pour cela qu'on les supprime, ils ne sont bons à rien.

MARTHA

Vous tenez un langage que je méprise et je ne puis vous entendre parler de crime et de punition. 100

LA MÈRE

Je dis ce qui me vient à la bouche, rien de plus. Ah! j'ai perdu ma liberté, c'est l'enfer qui a commencé!

MARTHA
(*elle vient vers elle, et avec violence*)

Vous ne disiez pas cela auparavant. Et pendant toutes ces années, vous avez continué à vous tenir près 105 de moi et à prendre d'une main ferme les jambes de ceux qui devaient mourir. Vous ne pensiez pas alors à la liberté et à l'enfer. Vous avez continué. Que peut changer votre fils à cela?

LA MÈRE

J'ai continué, il est vrai. Mais par habitude, comme une morte. Il suffisait de la douleur pour tout transformer. C'est cela que mon fils est venu changer. 110

Martha fait un geste pour parler.

Je sais, Martha, cela n'est pas raisonnable. Que signifie la douleur pour une criminelle? Mais aussi, tu le vois, ce n'est pas une vraie douleur de mère: je n'ai pas encore crié. Ce n'est rien d'autre que la souffrance de renaître à l'amour, et cependant elle me dépasse. Je sais aussi que cette souffrance non plus n'a pas de raison. (*Avec un accent nouveau.*) Mais ce monde lui-même n'est pas raisonnable et je puis bien le dire, moi qui en ai tout goûté, depuis la création jusqu'à la destruction. 115 120

Elle se dirige avec décision vers la porte, mais Martha la devance et se place devant l'entrée. 125

MARTHA

Non, mère, vous ne me quitterez pas. N'oubliez pas que je suis celle qui est restée et que lui était parti, que vous m'avez eue près de vous toute une vie et que lui vous a laissée dans le silence. Cela doit se payer. Cela doit entrer dans le compte. Et c'est vers moi que vous devez revenir. 130

LA MÈRE
(*doucement*)

Il est vrai, Martha, mais lui, je l'ai tué! 135

Martha s'est détournée un peu, la tête en arrière,[82] *semblant regarder la porte.*

MARTHA
(*après un silence, avec une passion croissante*)[83] 140

Tout ce que la vie peut donner à un homme lui a été donné. Il a quitté ce pays. Il a connu d'autres espaces, la mer, des êtres libres. Moi, je suis restée ici. Je suis restée, petite et sombre, dans l'ennui, enfoncée au cœur du continent et j'ai grandi dans l'épaisseur 145 des terres. Personne n'a embrassé ma bouche et même vous, n'avez vu mon corps sans vêtements. Mère, je vous le jure, cela doit se payer. Et sous le vain prétexte qu'un homme est mort, vous ne pouvez vous dérober au moment où[84] j'allais recevoir ce qui m'est dû. Com- 150 prenez donc que, pour un homme qui a vécu, la mort est une petite affaire. Nous pouvons oublier mon frère et votre fils. Ce qui lui est arrivé est sans importance: il n'avait plus rien à connaître. Mais moi, vous me frustrez de[85] tout et vous m'ôtez ce dont il a joui. Faut-il 155 donc qu'il m'enlève encore l'amour de ma mère et qu'il vous emmène pour toujours dans sa rivière glacée?

Elles se regardent en silence. La sœur baisse les yeux. 160
Très bas.

[82] **la tête en arrière** her head thrown back.
[83] **croissante** increasing.
[84] **vous dérober au moment où** slip away just when.
[85] **vous me frustrez de** you cheat me of.

Je me contenterais de si peu. Mère, il y a des mots que je n'ai jamais su prononcer, mais il me semble qu'il y aurait de la douceur à recommencer notre vie de tous les jours. 165

La mère s'est avancée vers elle.

LA MÈRE

Tu l'avais reconnu?

MARTHA
(*relevant brusquement la tête*)

Non! je ne l'avais pas reconnu. Je n'avais gardé de 170 lui aucune image, cela est arrivé comme ce devait arriver. Vous l'avez dit vous-même, ce monde n'est pas raisonnable. Mais vous n'avez pas tout à fait tort de me poser cette question. Car si je l'avais reconnu, je sais maintenant que cela n'aurait rien changé. 175

LA MÈRE

Je veux croire que cela n'est pas vrai. Les pires meurtriers connaissent les heures où l'on désarme.

MARTHA

Je les connais aussi. Mais ce n'est pas devant un frère inconnu et indifférent que j'aurais baissé le front.

LA MÈRE

Devant qui donc alors? 180

Martha baisse le front.

MARTHA

Devant vous.

Silence.

LA MÈRE
(*lentement*)

Trop tard, Martha. Je ne peux plus rien pour toi. 185
(*Elle se retourne vers sa fille.*) Est-ce que tu pleures, Martha? Non, tu ne saurais pas. Te souviens-tu du temps où je t'embrassais?

MARTHA

Non, mère.

LA MÈRE

Tu as raison. Il y a longtemps de cela et j'ai très 190
vite oublié de te tendre les bras. Mais je n'ai pas cessé de t'aimer. (*Elle écarte doucement Martha qui lui cède peu à peu le passage.*) Je le sais maintenant puisque mon cœur parle; je vis à nouveau, au moment où je ne puis plus supporter de vivre. 195

Le passage est libre.

MARTHA
(*mettant son visage dans ses mains*)

Mais qu'est-ce donc qui peut être plus fort que la détresse de votre fille?

LA MÈRE

La fatigue peut-être, et la soif du repos. 200

Elle sort sans que sa fille s'y oppose.

SCÈNE II

Martha court vers la porte, la ferme brutalement, se colle contre elle.[86] *Elle éclate en cris sauvages.*

MARTHA

Non! je n'avais pas à veiller sur[87] mon frère, et pourtant me voilà exilée dans mon propre pays; ma mère elle-même m'a rejetée. Mais je n'avais pas à veiller sur mon frère, ceci est l'injustice qu'on fait à l'innocence. Le voilà qui a obtenu maintenant ce qu'il voulait, tandis que je reste solitaire, loin de la mer dont j'avais soif. Oh! je le hais! Toute ma vie s'est passée dans l'attente de cette vague qui m'emporterait et je sais qu'elle ne viendra plus! Il me faut demeurer avec, à ma droite et à ma gauche, devant et derrière moi, une foule de peuples et de nations, de plaines et de montagnes, qui arrêtent le vent de la mer et dont les jacassements et les murmures étouffent son appel répété. (*Plus bas.*) D'autres ont plus de chance! Il est des lieux pourtant éloignés de la mer où le vent du soir, parfois, apporte une odeur d'algue. Il y parle de plages humides, toutes sonores du cri des mouettes, ou de grèves dorées dans des soirs sans limites. Mais le vent s'épuise bien avant d'arriver ici; plus jamais je n'aurai ce qui m'est dû. Quand même je collerais mon oreille contre terre, je n'entendrai pas le choc des vagues glacées ou la respiration mesurée de la mer heureuse. Je suis trop loin de ce que j'aime et ma distance est sans remède. Je le hais, je le hais pour avoir obtenu ce qu'il voulait! Moi, j'ai pour patrie ce lieu clos et épais où le ciel est sans horizon, pour ma faim l'aigre prunier de ce pays et rien

[86] **se colle contre elle** leans heavily against it.
[87] **veiller sur** watch over.

pour ma soif, sinon le sang que j'ai répandu. Voilà le prix qu'il faut payer pour la tendresse d'une mère! 30

Qu'elle meure donc, puisque je ne suis pas aimée! Que les portes se referment autour de moi! Qu'elle me laisse à ma juste colère! Car, avant de mourir, je ne lèverai pas les yeux pour implorer le ciel. Là-bas, où l'on peut fuir, se délivrer, presser son corps contre un 35 autre, rouler dans la vague, dans ce pays défendu par la mer, les dieux n'abordent pas.[88] Mais ici, où le regard s'arrête de tous côtés, toute la terre est dessinée pour que le visage se lève et que le regard supplie. Oh! je hais ce monde où nous en sommes réduits à Dieu. Mais moi, 40 qui souffre d'injustice, on ne m'a pas fait droit, je ne m'agenouillerai pas. Et privée de ma place sur cette terre, rejetée par ma mère, seule au milieu de mes crimes, je quitterai ce monde sans être réconciliée.

On frappe à la porte. 45

SCÈNE III

MARTHA

Qui est là?

MARIA

Une voyageuse.

MARTHA

On ne reçoit plus de clients.

[88] **les dieux n'abordent pas** the gods do not set foot.

MARIA

Je viens rejoindre mon mari.

Elle entre. 5

MARTHA
(*la regardant*)

Qui est votre mari?

MARIA

Il est arrivé ici hier et devait me rejoindre ce matin. Je suis étonnée qu'il ne l'ait pas fait.

MARTHA

Il avait dit que sa femme était à l'étranger. 10

MARIA

Il a ses raisons pour cela. Mais nous devions nous retrouver maintenant.

MARTHA
(*qui n'a pas cessé de la regarder*)

Cela vous sera difficile. Votre mari n'est plus ici.

MARIA

Que dites-vous là? N'a-t-il pas pris une chambre 15 chez vous?

MARTHA

Il avait pris une chambre, mais il l'a quittée dans la nuit.

MARIA

Je ne puis le croire, je sais toutes les raisons qu'il a de rester dans cette maison. Mais votre ton m'inquiète. 20
Dites-moi ce que vous avez à me dire.

MARTHA

Je n'ai rien à vous dire, sinon que votre mari n'est plus là.

MARIA

Il n'a pu partir sans moi, je ne vous comprends pas. Vous a-t-il quittées définitivement ou a-t-il dit qu'il 25
reviendrait?

MARTHA

Il nous a quittées définitivement.

MARIA

Ecoutez. Depuis hier, je supporte, dans ce pays étranger, une attente qui a épuisé toute ma patience. Je suis venue, poussée par l'inquiétude, et je ne suis 30
pas décidée à repartir sans avoir vu mon mari ou sans savoir où le retrouver.

MARTHA

Ce n'est pas mon affaire.

MARIA

Vous vous trompez. C'est aussi votre affaire. Je ne sais pas si mon mari approuvera ce que je vais vous dire, 35 mais je suis lasse de ces complications. L'homme qui est arrivé chez vous, hier matin, est le frère dont vous n'entendiez plus parler depuis des années.

MARTHA

Vous ne m'apprenez rien.

MARIA
(*avec éclat*) 40

Mais alors, qu'est-il donc arrivé? Pourquoi votre frère n'est-il pas dans cette maison? Ne l'avez-vous pas reconnu et, votre mère et vous, n'avez-vous pas été heureuses de ce retour?

MARTHA

Votre mari n'est plus là parce qu'il est mort. 45

Maria a un sursaut[89] *et reste un moment silencieuse, regardant fixement Martha. Puis elle fait mine de s'approcher* 50 *d'elle et sourit.*

MARIA

Vous plaisantez, n'est-ce pas? Jan m'a souvent dit

[89] **a un sursaut** gives a start.

que, petite fille, déjà, vous vous plaisiez à[90] déconcerter. Nous sommes presque sœurs et . . . .

MARTHA

Ne me touchez pas. Restez à votre place. Il n'y a rien de commun entre nous. (*Un temps.*) Votre mari est mort cette nuit, je vous assure que cela n'est pas une plaisanterie. Vous n'avez plus rien à faire ici. 55

MARIA

Mais vous êtes folle, folle à lier![91] C'est trop soudain et je ne peux pas vous croire. Où est-il? Faites que je le voie mort et alors seulement je croirai ce que je ne puis même pas imaginer. 60

MARTHA

C'est impossible. Là où il est, personne ne peut le voir.

Maria a un geste vers elle. 65

Ne me touchez pas et restez où vous êtes . . . . Il est au fond de la rivière où ma mère et moi l'avons porté, cette nuit, après l'avoir endormi. Il n'a pas souffert, mais il n'empêche qu'il est mort,[92] et c'est nous, sa mère et moi, qui l'avons tué. 70

MARIA
(*elle recule*)

Non, non . . . c'est moi qui suis folle et qui entends des mots qui n'ont encore jamais retenti sur cette terre.

[90] **vous vous plaisiez à** you took pleasure in.
[91] **folle à lier** stark raving mad.
[92] **il n'empêche qu'il est mort** but he died just the same.

Je savais que rien de bon ne m'attendait ici, mais je ne suis pas prête à entrer dans cette démence. Je ne comprends pas, je ne vous comprends pas 75

MARTHA

Mon rôle n'est pas de vous persuader, mais seulement de vous informer. Vous viendrez de vous-même à l'évidence.

MARIA
(*avec une sorte de distraction*) 80

Pourquoi, pourquoi avez-vous fait cela?

MARTHA

Au nom de quoi me questionnez-vous?

MARIA
(*dans un cri*)

Au nom de mon amour!

MARTHA

Qu'est-ce que ce mot veut dire? 85

MARIA

Il veut dire tout ce qui, à présent, me déchire et me mord, ce délire qui ouvre mes mains pour le meurtre. N'était cette incroyance entêtée[93] qui me reste dans le cœur, vous apprendriez, folle, ce que ce mot veut dire, en sentant votre visage se déchirer sous mes ongles. 90

[93] **N'était cette incroyance entêtée** Were it not for this stubborn disbelief.

MARTHA

Vous parlez décidément un langage que je ne comprends pas. J'entends mal les mots d'amour, de joie ou de douleur.

MARIA
(*avec un grand effort*)

Ecoutez, cessons ce jeu, si c'en est un. Ne nous égarons pas en paroles vaines. Dites-moi, bien clairement, ce que je veux savoir bien clairement, avant de m'abandonner. 95

MARTHA

Il est difficile d'être plus claire que je l'ai été. Nous avons tué votre mari cette nuit, pour lui prendre son argent, comme nous l'avions fait déjà pour quelques voyageurs avant lui. 100

MARIA

Sa mère et sa sœur étaient donc des criminelles?

MARTHA

Oui.

MARIA
(*toujours avec le même effort*) 105

Aviez-vous appris déjà qu'il était votre frère?

MARTHA

Si vous voulez le savoir, il y a eu malentendu. Et

pour peu que vous connaissiez le monde, vous ne vous en étonnerez pas.[94]

MARIA

(*retournant vers la table, les poings contre la poitrine, d'une voix sourde*) 110

Oh! mon Dieu, je savais que cette comédie ne pouvait être que sanglante, et que lui et moi serions punis de nous y prêter.[95] Le malheur était dans ce ciel. (*Elle s'arrête devant la table et parle sans regarder Martha.*) 115 Il voulait se faire reconnaître de vous, retrouver sa maison, vous apporter le bonheur, mais il ne savait pas trouver la parole qu'il fallait. Et pendant qu'il cherchait ses mots, on le tuait. (*Elle se met à pleurer.*) Et vous, comme deux insensées, aveugles devant le fils merveil- 120 leux qui vous revenait . . . car il était merveilleux, et vous ne savez pas quel cœur fier, quelle âme exigeante[96] vous venez de tuer! Il pouvait être votre orgueil, comme il a été le mien. Mais, hélas, vous étiez son ennemie, vous êtes son ennemie, vous qui pouvez parler froide- 125 ment de ce qui devrait vous jeter dans la rue et vous tirer des cris de bête!

MARTHA

Ne jugez de rien, car vous ne savez pas tout. A l'heure qu'il est,[97] ma mère a rejoint son fils. Le flot commence à les ronger. On les découvrira bientôt et 130 ils se retrouveront dans la même terre. Mais je ne vois pas qu'il y ait encore là de quoi me tirer des cris.[98] Je

[94] **Et pour peu . . . étonnerez pas.** And if you know anything about the world, you won't be surprised.
[95] **de nous y prêter** for taking part in it.
[96] **quelle âme exigeante** what an exacting soul.
[97] **A l'heure qu'il est** By now.
[98] **de quoi me tirer des cris** any reason for me to weep.

me fais une autre idée du cœur humain et, pour tout dire, vos larmes me répugnent.

MARIA

(*se retournant contre elle avec haine*) 135

Ce sont les larmes des joies perdues à jamais. Cela vaut mieux pour vous que cette douleur sèche qui va bientôt me venir et qui pourrait vous tuer sans un tremblement.

MARTHA

Il n'y a pas là de quoi m'émouvoir. Vraiment, ce 140 serait peu de chose. Moi aussi, j'en ai assez vu et entendu, j'ai décidé de mourir à mon tour. Mais je ne veux pas me mêler à eux. Qu'ai-je à faire dans leur compagnie? Je les laisse à leur tendresse retrouvée, à leurs caresses obscures. Ni vous ni moi n'y avons plus de part, 145 ils nous sont infidèles à jamais. Heureusement, il me reste ma chambre, il sera bon d'y mourir seule.

MARIA

Ah! vous pouvez mourir, le monde peut crouler, j'ai perdu celui que j'aime. Il me faut maintenant vivre dans cette terrible solitude où la mémoire est un sup- 150 plice.

Martha vient derrière elle
et parle par-dessus sa tête.

MARTHA

N'exagérons rien. Vous avez perdu votre mari et j'ai perdu ma mère. Après tout, nous sommes quittes.[99] 155

[99] **nous sommes quittes** we are even.

Mais vous ne l'avez perdu qu'une fois, après en avoir joui pendant des années et sans qu'il vous ait rejetée. Moi, ma mère m'a rejetée. Maintenant elle est morte et je l'ai perdue deux fois.

MARIA

Il voulait vous apporter sa fortune, vous rendre heu- 160 reuses toutes les deux. Et c'est à cela qu'il pensait, seul, dans sa chambre, au moment où vous prépariez sa mort.

MARTHA
(*avec un accent soudain désespéré*)

Je suis quitte aussi avec votre mari, car j'ai connu sa détresse. Je croyais comme lui avoir ma maison. J'imagi- 165 nais que le crime était notre foyer et qu'il nous avait unies, ma mère et moi, pour toujours. Vers qui donc, dans le monde, aurais-je pu me tourner, sinon vers celle qui avait tué en même temps que moi? Mais je me trompais. Le crime aussi est une solitude, même si on se 170 met à mille pour l'accomplir.[100] Et il est juste que je meure seule, après avoir vécu et tué seule.

Maria se tourne vers elle dans les larmes.

MARTHA
(*reculant et reprenant sa voix dure*) 175

Ne me touchez pas, je vous l'ai déjà dit. A la pensée qu'une main humaine puisse m'imposer sa chaleur avant de mourir, à la pensée que n'importe quoi qui ressemble

[100] **même si on se met à mille pour l'accomplir** even if a thousand join forces to accomplish it.

à la hideuse tendresse des hommes puisse me poursuivre encore, je sens toutes les fureurs du sang remonter à 180 mes tempes.

Elles se font face,[101] *très près l'une de l'autre.*

MARIA

Ne craignez rien. Je vous laisserai mourir comme vous le désirez. Je suis aveugle, je ne vous vois plus! Et 185 ni votre mère, ni vous, ne serez jamais que des visages fugitifs, rencontrés et perdus au cours d'une tragédie qui n'en finira pas. Je ne sens pour vous ni haine ni compassion. Je ne peux plus aimer ni détester personne. (*Elle cache soudain son visage dans ses mains.*) En vérité, 190 j'ai à peine eu le temps de souffrir ou de me révolter. Le malheur était plus grand que moi.

Martha, qui s'est détournée et a fait quelques pas vers la porte, revient vers 195 *Maria.*

MARTHA

Mais pas encore assez grand puisqu'il vous a laissé des larmes. Et avant de vous quitter pour toujours, je vois qu'il me reste quelque chose à faire. Il me reste à vous désespérer. 200

MARIA
(*la regardant avec effroi*)

Oh! laissez-moi, allez-vous-en et laissez-moi!

[101] **se font face** face each other.

MARTHA

Je vais vous laisser, en effet, et pour moi aussi ce sera un soulagement, je supporte mal votre amour et vos pleurs. Mais je ne puis mourir en vous laissant 205 l'idée que vous avez raison, que l'amour n'est pas vain, et que ceci est un accident. Car c'est maintenant que nous sommes dans l'ordre. Il faut vous en persuader.[102]

MARIA

Quel ordre?

MARTHA

Celui où personne n'est jamais reconnu. 210

MARIA
(*égarée*)

Que m'importe, je vous entends à peine. Mon cœur est déchiré. Il n'a de curiosité que pour celui que vous avez tué.

MARTHA
(*avec violence*) 215

Taisez-vous! Je ne veux plus entendre parler de lui, je le déteste. Il ne vous est plus rien. Il est entré dans la maison amère où l'on est exilé pour toujours. L'imbécile! il a ce qu'il voulait, il a retrouvé celle qu'il cherchait. Nous voilà tous dans l'ordre. Comprenez que ni 220 pour lui ni pour nous, ni dans la vie ni dans la mort, il n'est de patrie ni de paix. (*Avec un rire méprisant.*) Car

[102] **Il faut vous en persuader** You must be persuaded of that.

on ne peut appeler patrie, n'est-ce pas, cette terre épaisse, privée de lumière, où l'on s'en va nourrir des animaux aveugles. 225

MARIA

(*dans les larmes*)

Oh! mon Dieu, je ne peux pas, je ne peux pas supporter ce langage. Lui non plus ne l'aurait pas supporté. C'est pour une autre patrie qu'il s'était mis en marche.

MARTHA

(*qui a atteint la porte, se retournant brusquement*) 230

Cette folie a reçu son salaire. Vous recevrez bientôt le vôtre. (*Avec le même rire.*) Nous sommes volés, je vous le dis. A quoi bon ce grand appel de l'être, cette alerte des âmes? Pourquoi crier vers la mer ou vers l'amour? Cela est dérisoire. Votre mari connaît maintenant la réponse, cette maison épouvantable où nous serons enfin serrés les uns contre les autres. (*Avec haine.*) Vous la connaîtrez aussi, et si vous le pouviez alors, vous vous souviendriez avec délices de ce jour où pourtant vous vous croyiez entrée dans le plus déchirant des exils. Comprenez que votre douleur ne s'égalera jamais à l'injustice qu'on fait à l'homme et pour finir, écoutez mon conseil. Je vous dois bien un conseil, n'est-ce pas, puisque je vous ai tué votre mari!

Priez votre Dieu qu'il vous fasse semblable à la pierre. C'est le bonheur qu'il prend pour lui, c'est le seul vrai bonheur. Faites comme lui, rendez-vous sourde à tous les cris, rejoignez la pierre pendant qu'il en est temps. Mais si vous vous sentez trop lâche pour entrer

dans cette paix muette, alors venez nous rejoindre dans 250
notre maison commune. Adieu, ma sœur! Tout est facile, vous le voyez. Vous avez à choisir entre le bonheur stupide des cailloux et le lit gluant où nous vous attendons.[103]

Elle sort et Maria, qui a 255
écouté avec égarement, oscille sur elle-même[104]
les mains en avant.

MARIA
(*dans un cri*)

Oh! mon Dieu! je ne puis vivre dans ce désert! 260
C'est à vous que je parlerai et je saurai trouver mes mots. (*Elle tombe à genoux.*) Oui, c'est à vous que je m'en remets. Ayez pitié de moi, tournez-vous vers moi! Entendez-moi, donnez-moi votre main! Ayez pitié, Seigneur, de ceux qui s'aiment et qui sont séparés! 265

La porte s'ouvre et le vieux domestique paraît.

SCÈNE IV

LE VIEUX
(*d'une voix nette et ferme*)

Vous m'avez appelé?

[103] **le lit gluant où nous vous attendons.** *The alternatives given by Martha seemed to be justified by the events of the war but cannot be taken as the only alternatives offered by the play.*
[104] **oscille sur elle-même** reels.

MARIA
(*se tournant vers lui*)

Oh! je ne sais pas! Mais aidez-moi, car j'ai besoin qu'on m'aide. Ayez pitié et consentez à m'aider! 5

LE VIEUX
(*de la même voix*)

Non!

RIDEAU.

SELECTIVE BIBLIOGRAPHY

NOVELS AND SHORT STORIES

L'Etranger (1942)
La Peste (1947)
L'Eté (1954)
La Chute (1956)
L'Exil et le royaume (1957)

PLAYS

Caligula (1944)
Le Malentendu (1944)
L'Etat de siège (1948)
Les Justes (1950)

ESSAYS

L'Envers et l'endroit (1938)
Le Mythe de Sisyphe (1942)
Lettres à un ami allemand (1945)
Actuelles. Chroniques 1944–48 (1950)
L'Homme Révolté (1951)
Actuelles II. Chroniques 1948–1953 (1953)
Actuelles III. Chroniques algériennes 1939–1958 (1958)
Discours de Suède (1958)

Suggestions for Reading About Camus:

IN FRENCH

Brisville, J. C. *Camus,* Gallimard, 1959.

Luppé, Robert de. *Albert Camus,* Editions Universitaires, 1952.

Perruchot, Henri. *La Haine des masques,* La Table Ronde, 1955.

Quilliot, Roger, *La Mer et les prisons: Essai sur Albert Camus,* Gallimard, 1955.

IN ENGLISH

Brée, Germaine. *Camus,* Rutgers University Press, 1959; revised edition, 1961.

Cruickshank, John. *Albert Camus and the Literature of Revolt,* Oxford University Press, 1959.

Hanna, Thomas. *The Thought and Art of Albert Camus,* H. Regnery, 1958.

Thody, Philip. *Albert Camus: A Study of his Work,* Hamilton, 1957.

THE CHAPTERS ON CAMUS IN:

Brée, Germaine and Guiton, Margaret. *An Age of Fiction,* Rutgers University Press, 1957.

Peyre, Henri. *The Contemporary French Novel,* Oxford University Press, 1955.

VOCABULAIRE

This vocabulary does not include subject and object personal pronouns, possessive and demonstrative adjectives, apparent cognates, definite and indefinite articles, proper names, contractions such as *au* and *du,* nor long expressions already explained in the footnotes to the text. Abbreviations are as follows:

adj.	adjective	*m.*	masculine
adv.	adverb	*n.*	noun
f.	feminine	*pl.*	plural

A

auberge *f.* inn, hotel
auparavant previously
autrefois formerly
avenir *m.* future
avertir to warn
avertissement *m.* warning
aveugle blind
avoir to have; —— **l'air** to seem

B

baisser to lower
balancement *m.* swaying
balayer to sweep
barrage *m.* dam
bas(se) low; **en bas** below; on the lower floor
besogne *f.* task, job
bien well; indeed; **bien entendu** of course
bientôt soon
bienveillant kindly, solicitous
blesser to wound, to hurt
blessure *f.* wound
boire to drink
bonheur *m.* happiness
bouche *f.* mouth; **se boucher** to stop up

bouger to budge, to move
bouleverser to overwhelm; to disturb
bourgeon *m.* shoot, sprout
bourreau *m.* executioner
brouiller to confuse, to jumble
brûlure *f.* burn

C

caillou *m.* pebble
cas *m.* case; **en tout cas** in any case
cause *f.* cause; **à cause de** because of
chaleur *f.* warmth, heat
changer to change; **—— d'avis** to change one's mind
charge *f.* responsibility
chemin *m.* road
chercher to look for
cheville *f.* ankle
chose *f.* thing, affair
clair(e) bright, clear
clé *f.* key
cloître *m.* cloister
cœur *m.* heart
coin *m.* corner
coller to stick, to glue
colline *f.* hill
comme since, as, because; **—— il faut** properly
commutateur *m.* electric-light switch
comprendre to understand; to include
comptoir *m.* counter
concilier to conciliate, to reconcile
confier to trust; to confide
confus embarrassed
connaître to know
conserver to keep
contenir to contain; to restrain, to control
contre against
côté *m.* side
coucher to sleep
couler to flow
couloir *m.* corridor, hall
course *f.* race, run; flow
crever to die (of animals); to burst
croix *f.* cross
crouler to collapse
cuisse *f.* thigh

D

décharger to unload, to discharge; to relieve
déchirement *m.* tearing; **—— de cœur** heartbreak
déchirer to tear
dédommagement *m.* compensation, payment
dehors outside
démence *f.* madness
demeure *f.* lodging, dwelling
dépaysé out of one's element; nostalgic
dépouiller to strip, to deprive; to inspect, to go through
déranger to disturb

dérisoire ridiculous; unimportant
désabusé disabused; disillusioned
dessiner to design, to sketch
détourner to divert, to turn aside
devancer to precede
devoir *m.* duty; must ought (to), should, to have to, owe
distrait distracted, absent-minded
donc then, therefore, now
dos *m.* back
douceur *f.* sweetness, softness
douleur *f.* pain
douter to doubt; **se douter de** to suspect
douve *f.* stave; side
durcir to harden

E

écarter to push aside
échapper to escape
éclore to open; to blossom
écraser to crush
effacer to erase
égarer to lose; **s'égarer** to get lost; **égarée** lost, disconcerted, confused
empêcher to prevent
encadrement *m.* framing
(s')endormir to go to sleep
endroit *m.* place, spot
enfer *m.* hell
enfoncer to drive, thrust; to sink, bury
enlever to take away
ennui *m.* boredom
(s')entêter to be obstinate, stubborn
envers toward
épaisseur *f.* thickness
épargner to spare
épouse *f.* wife
épuiser to exhaust, wear out
espace *m.* space
essayer to try
essuyer to wipe; to endure
éteindre to extinguish, put out
étendre to spread, stretch
étouffer to stifle
étranger *m.* foreigner
être to be; **être d'accord** to agree; being (*n.m.*)
éviter to avoid
exprimer to express

F

fâcher to anger
façon *f.* way, fashion
faire to do, make; ——— **face à** to face; ——— **mine de** to pretend, to start to
falloir to be necessary; **qu'il faille** that it will (may) be necessary
faner wither
farouche fierce
femme *f.* woman, wife
fiche *f.* form, paper
fièvre *f.* fever

figure *f.* face
figurer to appear
fille *f.* daughter, girl
fils *m.* son
fin *f.* end
fleurir to bloom, blossom, flower
fois *f.* time, occasion; **à la fois** at the same time
folie *f.* folly; insanity
fond *m.* bottom; **au fond** basically; in fact
fossé *m.* ditch
foule *f.* crowd
foyer *m.* hearth, grate; home
frapper to knock; to strike, hit

G

garder to keep; to watch
gâter to spoil, ruin
gendarme *m.* police
gêner to disturb, inconvenience
glacé icy, iced
gluant sticky
grève *f.* strand, beach; strike
guetter to lie in wait; to watch for

H

haïr to hate
hôte *m.* host; guest
hôtelier *m.* innkeeper

I

ignorer to be ignorant of
importun(e) bothersome
insensé(e) mad, insane
interdire to forbid
ivrogne *m.* drunkard

J

jacassement *m.* chattering
jambe *f.* leg
jouir to enjoy
jurer to swear

L

lâche *m.* coward
laisser to let; to leave; to allow
larme *f.* tear
las(se) tired; **(se) lasser** to grow tired, weary
léger, légère light, slight
lentement slowly
linge *m.* clothing, linen
loin far; **de loin en loin** at long intervals, now and then
loisir *m.* leisure
louer to rent; to praise

M

main *f.* hand
maintenir to support; to maintain
mal *m.* sickness; evil; badly, poorly (*adv.*)

malentendu *m.* misunderstanding
malfaiteur *m.* evil doer
malgré in spite of
malheureux, malheureuse unhappy; unfortunate
marquer to mark; to make clear
méfait *m.* misdeed
(se) méfier de to distrust
meilleur(e) better; **le meilleur** best
même same; even; very
méprise *f.* misunderstanding
mépriser to scorn
mer *f.* sea
métier *m.* job; trade
meurtre *m.* murder
meurtrier *m.* murderer
midi *m.* noon
miel *m.* honey
mieux better (*adv.*)
moins less; until; **au moins** at least; **le moins** least
mordre to bite; to gnaw
mot *m.* word
mouette *f.* sea gull

N

naître to be born; **né** was born
net(te) clean, spotless
nettoyage *m.* cleaning
nier to deny
nouer to knot
nouveau, nouvelle new; **de nouveau** again
noyer to drown; to drench
nuage *m.* cloud

O

obéir to obey
ombre *f.* shadow
ongle *m.* nail; claw
oreiller *m.* pillow
orgueil *m.* pride
oublier to forget

P

paix *f.* peace
parcourir to travel through, go over, traverse; to examine
parfois sometimes
parole *f.* word
pas *m.* step
patienter to be patient
patte *f.* paw; foot
pauvre poor
penser à to think about (of)
peuple *m.* people
peur *f.* fear
peut-être perhaps
pièce *f.* play; room; piece
plage *f.* beach
plaindre to pity; **se plaindre** to complain
plaisanter to tease, to be not serious
plateau *m.* stage; tray
pleur *m.* tear
pluie *f.* rain
plutôt rather
pluvieux(-euse) rainy

poids *m.* weight
poing *m.* fist
poser to put, place
pouce *m.* thumb
pourtant nevertheless, however
pourvu que provided
pousser to push; to grow
poutre *m.* beam
prêter to lend
prévenir to inform; to warn
priver (de) to deprive
prix *m.* price; prize
profiter (de) to take advantage of
propre clean; proper
proscrire to banish, proscribe
prunier *m.* plum tree
puisque since

Q

quant à as for
quelque some, a few; **quelque chose** something
quelquefois sometimes
quémander to beg, to implore
quoique although

R

(se) raidir to stiffen, harden, brace
raidissement *m.* stiffening
ranger to put into order
(se) raviser to change one's mind
rayer to strike out
recette *f.* receipt; recipe
reconnaissant thankful, grateful
reculer to withdraw
redoutable frightening; dangerous
refroidir to chill
réglé settled
rejaillir to gush out, splash up, spout
rejeter to reject
réjouir to be happy, rejoice
remercier to thank
remuer to stir
reprendre to take again; to continue
ressembler à to resemble
ressusciter to resuscitate; to revive
reste *m.* remainder
retentir to sound
revanche *f.* revenge; **en revanche** on the other hand
rêve *m.* dream
réveiller to awaken; **se réveiller** to wake up
revenir to come back; to return
rêver to dream
ronger to eat away

S

sable *m.* sand
sain healthy

salle *f.* room; ——— **commune** common room
salut *m.* safety; salvation
sanglant bloody
sans without; ——— **répit** ceaselessly
santé *f.* health
sauf except; save
sec, sèche dry
secouer to shake
séjour *m.* stay, trip, sojourn
selon according to
serrer to squeeze, press
serviette *f.* towel; napkin; briefcase
seul(e) alone
singulier(-ère) singular, extraordinary
soif *m.* thirst
soleil *m.* sun
solvable solvent
(en) somme finally; in short
sommeil *m.* sleep
songer to think; to dream
sonnerie *f.* ringing; striking mechanism of clock
sonnette *f.* bell
soucier to worry
souffle *m.* breath
souhaiter to wish
soulagement *m.* relief
soupeser to weigh
soupirer to sigh
sourdement dully
sourire *m.* smile
souvenir *m.* memory
souvent often
suffire to suffice
supplice *m.* torture
supporter to bear, withstand
supprimer to suppress
sursis *m.* delay; respite; reprieve
survivre to survive

T

tant so, so much
tasse *f.* cup
témoigner to bear witness
tempe *f.* temple (body)
tendre to stretch, extend; tender (*adj.*)
tenir à to be anxious to; to want
toujours always
tout(e), tous, toutes all, every; **tout le long** all along
traîner to drag
travail *m.* work
tromper to deceive; **se tromper** to be mistaken
tuer to kill

U

user to wear out; **user de** to make use of

V

vacances *f.* (*pl.*) vacation
vague *f.* wave
valoir to be worth; ——— **mieux** to be better; ——— **la peine** to be worth the trouble

venir to come; **Je viens d'arriver** I have just arrived; **Je venais d'arriver** I had just arrived.
vent *m.* wind
ventre *m.* belly
vers toward
vider to empty
vie *f.* life
vieillir to grow old
vieux, vieille old
visage *m.* face
voir to see
voix *f.* voice